RUTE
Uma perfeita história de amor

Hernandes Dias Lopes

RUTE
Uma perfeita história de amor

Sua opinião é importante para nós.
Por gentileza, envie-nos seus comentários pelo e-mail:

editorial@hagnos.com.br

Visite nosso site:

www.hagnos.com.br

© 2007 Hernandes Dias Lopes

1ª edição: julho de 2007
10ª reimpressão: janeiro de 2022

As opiniões, as interpretações e os conceitos emitidos nesta obra são de responsabilidade do autor e não refletem necessariamente o ponto de vista da Hagnos.

Revisão
João Guimarães
Josemar de Souza Pinto

Todos os direitos desta edição reservados à
Editora Hagnos Ltda.
Av. Jacinto Júlio, 27
04815-160 — São Paulo, SP
Tel.: (11) 5668-5668

Capa
Souto Design (layout)
Atis Design (adaptação)

Editor
Aldo Menezes

E-mail: hagnos@hagnos.com.br
Home page: www.hagnos.com.br

Editora associada à:

Coordenador de produção
Mauro Terrengui

Impressão e acabamento
Imprensa da Fé

Dados Internacionais de Catalogação na Publicação (CIP)
(Câmara Brasileira do Livro, SP, Brasil)

Lopes, Hernandes Dias

Rute: Uma perfeita história de amor / Hernandes Dias Lopes. — São Paulo: Hagnos, 2007. — (Comentários Expositivos Hagnos).

ISBN 978-85-7742-011-7

1. Bíblia (Personagem bíblico) 2. Bíblia AT - Rute Crítica e interpretação I. Título. II. Série

07-3760   CDD-222.3506

Índices para catálogo sistemático:
1. Rute: Livros históricos: Bíblia:
Interpretação e crítica 222.3506

Sumário

Prefácio — 09

1. Uma introdução ao livro de Rute — 11
(Rt 1.1)

2. A saga de uma família — 29
(Rt 1.1-22)

3. Fome na Casa do Pão — 51
(Rt 1.1-22)

4. Casualidade ou providência? — 69
(Rt 2.1-23)

5. O lar, uma fonte de grande felicidade — 93
(Rt 3.1-18)

6. Quando a esperança se torna realidade — 113
(Rt 4.1-22)

Prefácio

Fiquei muito feliz diante do desafio de apresentar este precioso livro do Rev. Hernandes, meu amado pastor há 22 anos. Ele é um homem simples, de vida cristã ilibada e de uma cultura extraordinária. É estimado e admirado no meio evangélico dentro e fora do Brasil como um eloqüente pregador do Evangelho e um habilidoso e profícuo escritor. Conheci o Rev. Hernandes ainda bem jovem, e, nesse tempo ele já demonstrava um conhecimento bíblico admirável. Ouço semanalmente as suas mensagens e vejo como Deus, pela Sua graça, o usa como um valoroso instrumento para levar vidas a Cristo e edificar a Igreja. A sua vida referenda o seu trabalho, pois tem sido um modelo e paradigma para todos quantos o conhecem. Agora, por meio de seus mais de quarenta livros publicados, abençoa milhares de pessoas em todos os quadrantes da nossa Pátria e além fronteiras.

Tive grande alegria de ler os originais deste seu mais novo livro. Observei atentamente o seu estilo direto, seus pensamentos claros, seus conceitos profundos e sua mensagem irretocavelmente bíblica. Cada palavra, pensamento e lição têm uma aplicação prática. Estou certa de que estamos sendo premiados com este precioso livro: *Rute, uma perfeita história de amor*. Verdadeiramente, esta é uma obra fantástica, cujos ensinos vão encher sua alma de esperança e conduzir seus passos rumo ao triunfo, ainda que agora você esteja pisando um caminho crivado de espinhos.

A leitura deste livro, que ora apresento, convenceu-me de que sua mensagem é oportuna, urgente e assaz necessária. Este livro, fruto de um laborioso trabalho exegético e pastoral do autor, nos quatro capítulos e 85 versículos do livro de Rute, oferece ferramentas preciosas para ajudá-lo a enfrentar vitoriosamente as lutas e adversidades da vida. Os tempos modernos não são nada diferentes dos tempos passados. Vivemos as mesmas crises de outrora. O livro de Rute, portanto, é extremamente atual. A Palavra de Deus jamais envelhece nem fica obsoleta. A mensagem deste precioso livro é um tônico para a alma, um bálsamo do céu para todos aqueles que estão vivenciando as lutas da caminhada pessoal, familiar e cristã.

Meu profundo desejo é que os mesmos benefícios que este livro produziram no meu coração alcancem também a sua vida e a sua família. Esta é a minha oração!

Aurenice Silva Medeiros

Capítulo 1

Uma introdução ao livro de Rute
(Rt 1.1)

O LIVRO DE RUTE é uma perfeita história de amor.

Ele é um dos mais belos romances da Bíblia. É uma das jóias mais ricas e encantadoras de toda a literatura mundial; é um livro inspirado que encerra lições magníficas.

Leon Morris o chama de "a história perfeita".[1] David Atkinson o denomina uma "história de encanto e deleite".[2] Warren Wiersbe o chama de "uma história de amor".[3] John Peter Lange diz que esse livro que tem apenas 85 versículos é como um jardim engrinaldado de rosas perfumadas, cuja beleza e conteúdo jamais podem ser suficientemente enaltecidos.[4]

A. W. Weiser cita o que disse Goethe: "O livro de Rute é a mais bela obra completa em escala reduzida, que nos foi dada como um tratado ético e um idílio". Ele também cita o veredicto de R. Alexander Schroeder: "Nenhum poeta do mundo escreveu um conto mais belo".[5]

O livro de Rute exalta o amor e a virtude de uma mulher moabita. O livro fala da oportunidade de reconciliação para todas as nações estrangeiras que buscam abrigo debaixo das asas do Deus vivo (2.12). Em Boaz e Rute, os israelitas e gentios são personificados. Nada além do amor e da fé pessoal de Rute foi exigido dela para encontrar abrigo sob as asas do Deus de Israel.[6]

O livro de Rute é a história de um drama familiar. Antonio Neves de Mesquita diz que o livro de Rute nos coloca face a face com um drama de família.[7] Nesse drama surgem vários problemas:
– o problema da crise financeira
– o problema da imigração
– o problema da doença
– o problema da morte
– o problema da viuvez
– o problema da pobreza
– o problema da amargura contra Deus

Ao mesmo tempo, o livro de Rute nos fala sobre:
– a força da amizade
– a beleza da providência
– a recompensa da virtude

O livro de Rute é uma história cheia de emoções profundas, em que se destacam o poder do amor e a vitoriosa providência divina. Nesse sentido, este livro é um contraste com o livro de Juízes, que trata de guerras e contendas; o de

Rute, porém, trata de amizade e amor. No livro de Juízes, o julgamento de Deus está mostrando à nação de Israel a loucura do pecado; no livro de Rute, o amor e a virtude estão sendo recompensados. Na verdade, o livro de Rute trata a respeito de Deus. Ele é a personagem principal desse precioso livro.[8]

Vale ressaltar que em uma sociedade dominada pelos homens, as personagens centrais desse romance são duas mulheres que desafiaram a crise e agiram com fé na providência divina. A primeira era uma judia idosa, pobre, viúva e sem filhos; a outra, uma gentia viúva que se apegou à sua sogra e se converteu ao Deus de Israel.

Além de oferecer-nos abençoadoras lições morais e espirituais, esse livro é um tributo divino às mulheres, verdadeiras heroínas em tempos de crise. Há dois livros da Bíblia com nomes femininos. O primeiro é Rute, uma gentia que se casa com um judeu e se torna a ancestral do rei Davi e do próprio Messias (Mt 1.5). O segundo livro é Ester, uma judia que se casa com um gentio para salvar o seu povo de uma grande tragédia.

Autoria e data do livro de Rute

Não sabemos ao certo quem foi o escritor desse livro. A maioria dos estudiosos, entretanto, o atribui a Samuel.[9] Leon Morris diz que o estilo literário e lingüístico de Rute se parece muitíssimo com o livro de Samuel.[10] O Talmude, escrito no segundo século da era cristã, atribui esse livro também a Samuel.[11] Josefo, por sua vez, coloca o livro nos tempos de Eli, quando ainda não se conhecia Davi.[12] Concordamos com a visão de Antonio Neves de Mesquita, que coloca esse livro no fim do período dos juízes, pois o seu escritor já tinha conhecimento de Davi como rei de Israel.[13]

Um tempo de instabilidade econômica, moral e espiritual (1.1)

O livro de Rute foi escrito no período mais turbulento da história de Israel, o período dos juízes. Esse foi um longo período, de aproximadamente 350 anos, que começou depois da morte de Josué e só terminou com a coroação do rei Saul.

Nesse tempo, o povo israelita viveu como um elevador, ora caminhando para cima, ora para baixo. O povo alternou sua vida oscilando entre sua rebeldia contra Deus e a volta para Ele. A instabilidade política, o colapso moral e a infidelidade espiritual foram as marcas distintivas desse tempo.

Na verdade, a volta para Deus era superficial, pois o povo só buscava a Deus para se ver livre de suas angústias, mas, logo que a mão de Deus se manifestava trazendo o livramento, o povo voltava a se rebelar contra o Altíssimo. O povo buscava a Deus por aquilo que podia receber dEle. Eles não estavam interessados em Deus, apenas neles mesmos; buscavam a Deus com propósitos egoístas. Eles não queriam Deus, apenas as bênçãos de Deus. A vida deles estava centrada neles mesmos, e não em Deus. Viviam de forma antropocêntrica, e não teocêntrica. Ricardo Gondim diz que, dentro dessa anarquia, a história de Rute surgiu como uma espécie de refrigério, de sopro suave, de calma e de bonança, em meio a um delírio de tempestade.[14]

David Atkinson fala sobre três fatores que têm desafiado a fé na providência divina hoje como nos dias dos juízes: outros deuses, uma cultura dividida e o problema do mal.[15] Vamos analisar esses três fatores:

Em primeiro lugar, *os outros deuses*. Os cananeus da Antiguidade, assim como muitos povos de hoje, pensavam que a religião era a chave da prosperidade. Visto que a economia era predominantemente agrícola, a prosperidade passava inevitavelmente pela fertilidade da terra. Ela devia produzir abundantes colheitas e rebanhos férteis. Na crença cananita, o deus Baal era o dono da terra e aquele que controlava a sua fertilidade. O ciclo regular da natureza e a fertilidade do solo eram devidos às relações sexuais entre Baal e sua companheira Astarte. Como os homens sempre buscam imitar os deuses, os cananitas pensavam que a prosperidade era resultado dos rituais compostos de relações sexuais orgíacas praticadas nos santuários de Baal. Homens e mulheres se alistavam no serviço dessa divindade pagã e copulavam livremente com os adoradores femininos e masculinos nesses santuários pagãos edificados nos altos.[16] Os israelitas, por sua vez, acreditavam que a prosperidade era resultado da obediência à aliança firmada com Deus, conforme descrito em Levítico 26 e Deuteronômio 28. Com o tempo, porém, os israelitas foram sendo seduzidos pela fascinação dessas crenças pagãs, e muitos acabaram se prostrando diante desses deuses.

Nos dias atuais, Baal recebe uma nova roupagem. A busca da prosperidade, à parte dos princípios de Deus, é a religião mais procurada em nosso tempo. A crença de que alcançaremos a prosperidade se nos submetermos às políticas monetárias, às leis do mercado, ao comércio livre e à globalização encontra muitos adoradores e devotos. A busca desenfreada do ter e o sacrifício dos valores morais absolutos nessa corrida ensandecida não são apenas uma questão econômica, mas religiosa. O fascínio pelo deus da prosperidade é a religião que ganha mais adeptos em nossa geração.

Em segundo lugar, *uma cultura dividida*. Nos dias dos juízes, o povo israelita vivia rodeado pela religião de Baal. Ele vivia dividido entre preservar a fé em Deus ou sucumbir à sedução do culto a Baal. B. W. Anderson coloca essa tensão assim: "Eles olhavam para Javé nos períodos de crise militar; para Baal eles se voltavam para ter sucesso na agricultura".[17] David Atkinson alerta para o perigo de se relegar Deus a apenas determinadas áreas de nossos interesses.[18] Uma das marcas da pós-modernidade é a secularização. Deus foi reduzido em Sua ação e trancado dentro dos templos religiosos. Ele foi empurrado para a lateral da vida e esquecido pela humanidade. Agora, prevalece o subjetivismo, em que cada um tem sua verdade, sua fé e suas próprias leis.

Em terceiro lugar, *o problema do mal*. A apostasia do povo provocou o castigo de Deus. Os inimigos de Israel vieram, devastaram a terra, saquearam o povo e acabaram com a economia agrícola. David Atkinson comenta esse fato assim:

> A segunda parte do livro de Juízes descreve um quadro sinistro de inquietação civil e de violência, de desintegração social, de imoralidade sexual, de agressões e de guerras. As pessoas que tinham fé entendiam isto em termos do juízo de Javé por causa do fracasso do povo em viver segundo a justiça de Javé. "Naqueles dias não havia rei em Israel: cada um fazia o que achava mais reto" (Jz 21.25).[19]

Atkinson ainda diz que a atração exercida pelos outros deuses e a tentação de desligar os interesses de Javé da vida cotidiana, o caos social, a miséria pessoal e a dura experiência do juízo divino caracterizaram de maneira especial "os dias em que julgavam os juízes". Esse era um tempo sombrio e difícil para crer na providência divina.[20]

Um tempo em que a fome castigou a cidade de Belém (1.1)

Belém, a terra que manava leite e mel, está desolada. O livro de Rute fala da saga de uma família que vivia na cidade de Belém (*Beth* = casa, *lehem* = pão), a Casa do Pão, onde um dia faltou pão. A cidade deixou de ser um celeiro para ser um lugar de desespero e fome. A Casa do Pão estava com as prateleiras vazias, com os fornos frios e sem nenhuma provisão. Belém era uma mentira, um engano, uma negação de si mesma.

Quando a crise chega, ela atinge a todos, pobres e ricos, homens e mulheres. Elimeleque era um homem abastado, tinha terras e bens. Contudo, a crise o atingiu, a fome também chegou a sua casa.

A fome não era apenas uma casualidade, nem mesmo resultado de uma tragédia natural. A seca que devastou os campos, que fez mirrar a semente no ventre da terra, que cortou das despensas a provisão e levou para as mesas o espectro da fome, era um juízo de Deus à desobediência (Lv 26.19,20; Dt 28.23,24; 2Sm 24.13,14; Ez 5.16; Am 4.6,7).

O tempo dos juízes experimentou o juízo de Deus. Os inimigos que vinham e devastavam os campos e saqueavam seus bens e riquezas eram instrumentos do juízo de Deus ao Seu povo rebelde. A aliança de Deus encerrava bênçãos e maldições. A obediência produz vida, mas a rebeldia gera a morte. A fome era a vara da disciplina de Deus. A fome foi também a causa que levou Elimeleque a descer a Moabe, foi a causa que levou Abraão e Jacó ao Egito, foi a causa que levou Isaque a Gerar e o próprio Jesus a ser tentado no deserto.

Walter Baxendale diz que o pecado tirou os anjos do céu, Adão do paraíso e privou milhares de israelitas da Terra

Prometida. Agora, priva Israel de pão. Porque o povo apartou-se da Sua lei, Deus suspendeu a provisão. O juízo nacional enviado sobre a nação afetou a história individual dessa família.[21]

Um tempo em que a fuga pareceu o único recurso para a crise (1.1)

A crise é uma encruzilhada, onde precisamos inevitavelmente tomar uma decisão. Uns colocam os pés na estrada na vitória, outros avançam pelos atalhos da fuga e do fracasso. Elimeleque, Noemi, Malom e Quiliom escolheram fugir, em vez de enfrentar a crise. Eles apostaram que a crise era irremediável e que o caminho da fuga era a única rota de escape. Contudo, fugir nem sempre é a alternativa mais segura e sensata. Na hora da crise, devemos olhar para Deus, em vez de mirarmos apenas as circunstâncias. Quando somos encurralados pelas circunstâncias adversas, precisamos acreditar que Deus está acima e no controle delas.

Em um tempo de fome, Abraão fugiu para o Egito e ali quase acabou com o seu casamento. Na mesma situação, Isaque foi tentado a descer ao Egito, mas Deus lhe ordenou: "Não desças ao Egito". O enfrentamento da crise é melhor do que a fuga. Fugir não é uma escolha segura. Na crise, precisamos buscar o abrigo das asas do Onipotente, em vez de buscar falsos refúgios.

Um tempo em que as crises se agigantaram (1.3-5)

A fuga de Belém para Moabe foi marcada por muitos desastres na família de Elimeleque. Buscar refúgio fora da vontade de Deus é um consumado engano. Eles foram para Moabe em busca de sobrevivência e encontraram a morte. Eles foram buscar pão e encontraram a doença. Eles foram buscar vida e encontraram uma sepultura. A terra estrangeira não lhes deu segurança, mas um enterro.

Que tipo de crise aquela família enfrentou em Moabe?

Em primeiro lugar, *a enfermidade*. A doença é pior do que a escassez de pão. Eles saíram por causa da fome, mas não puderam fugir da doença. Elimeleque liderou sua família rumo a Moabe para fugir da fome, mas não conseguiu livrar sua família dos tentáculos da enfermidade.

Em segundo lugar, *a morte*. Elimeleque tombou em terra estrangeira. Ele morreu e deixou sua família órfã em terra estranha. A dor do luto é mais aguda do que a dor da pobreza. A escassez é menos dolorosa do que a morte. Dez anos se passaram. Malom e Quiliom casam-se em Moabe, e novamente uma luz de esperança volta a brilhar no caminho daquela família imigrante. A morte, porém, volta a rondar aquela família já marcada pelo sofrimento. De súbito, sem qualquer explicação, a vida jovem de Malom e Quiliom é ceifada em terra estrangeira. Noemi perdeu tudo: sua terra, seu marido, seus filhos, seus sonhos. Ela está velha, viúva, pobre, sem filhos, em terra estrangeira. Ela não tem filhos nem descendentes. Sua semente vai ser cortada da terra. Sua memória vai se apagar, e ela, então, passa a alimentar-se de absinto. Ela introjeta uma amargura existencial assoladora na alma. Chega mesmo a mudar de nome. Não quer mais ser chamada de Noemi, mas de Mara, que significa amargura (1.20).

Em terceiro lugar, *a viuvez*. O livro de Rute é um drama que fala da história de três mulheres que ficaram viúvas, pobres, desamparadas e sem filhos. A matriarca Noemi perdeu não apenas o marido, mas também os filhos, e isso em terra estrangeira. Para ela, o futuro havia fechado as cortinas. A esperança fora enterrada na cova dos seus próprios mortos.

Em quarto lugar, *a revolta contra Deus*. Noemi, embora fosse uma mulher crente, cuja fé foi mantida intacta no Deus de Israel em terra pagã, desenvolveu uma teologia errada acerca da providência divina. Ela passou a olhar para a vida com os óculos do pessimismo. Ela não acreditava no acaso nem no determinismo cego. Sua teologia, porém, estava errada, pois pensou que Deus estava descarregando sobre ela o Seu juízo. Ela deixou de ver um plano mais elevado e um propósito mais sublime no meio da tragédia (1.20,21).

Um tempo de aprender a olhar para a vida com os olhos de Deus

O livro de Rute é um reservatório de lições magníficas que são verdadeiros tônicos para a alma. Precisamos aprender a olhar para a vida com os olhos de Deus. Concordamos com as palavras do poeta inglês William Cowper: "Por trás de toda providência carrancuda, esconde-se uma face sorridente". Confiamos plenamente no que afirmou o bandeirante do cristianismo, o veterano apóstolo Paulo: "Sabemos que todas as coisas cooperam para o bem daqueles que amam a Deus, daqueles que são chamados segundo o seu propósito" (Rm 8.28). Vejamos a robusta teologia da soberania e da providência de Deus no livro de Rute. Destacamos algumas das suas ênfases:

Em primeiro lugar, *a providência do Altíssimo é maior do que a tragédia humana*. Deus transforma o caos em cosmos. Ele transforma vales em mananciais, nossas tragédias em cenários de esperança. Ele enxuga nossas lágrimas, acalma a nossa dor e coloca os nossos pés na estrada da mais esplêndida vitória.

Deus escreveu um dos capítulos mais lindos da História a partir da dor mais profunda de Noemi. O Eterno arrancou aquela pobre viúva do poço escuro da solidão e da pobreza e a ergueu ao nível da mais venturosa das alegrias, fazendo dela a matriarca da esperança em sua terra. Quando a nossa causa parece perdida, com Deus ela não está perdida. Quando julgamos que as circunstâncias suplantaram nossa esperança, o Deus que chama à existência as coisas que não existem nos faz triunfar no deserto das nossas crises.

Em segundo lugar, *o amor de Deus não é tribal, mas universal*. Deus prometeu abençoar todas as famílias da terra por meio de Abraão (Gn 12.3). O amor de Deus é universal, englobando todos os povos. O amor de Deus não tem fronteiras; ele inclui todos aqueles por quem Cristo verteu o Seu sangue e procedem de toda tribo, língua, povo e nação (Ap 5.9).

Rute, uma moabita, foi incluída na linhagem ancestral do rei Davi e na genealogia do próprio Messias. Rute deixa seu povo, seus deuses, sua terra, sua parentela e se une a uma sogra israelita, convertendo-se ao Deus de Israel. Leon Morris assim afirma: "Rute não era simplesmente uma estrangeira. Estava unida com devoção máxima a uma sogra israelita e era, além disso, uma convertida à religião judia".[22] Russell Norman Champlin diz que Rute foi um exemplo vivo da verdade de que a participação no Reino de Deus não depende de carne e sangue, e, sim, da obediência da fé (Rm 1.5). Rute aceitou de todo o coração o povo de Deus e o Deus do povo de Israel. Deus a aceitou e fez dela uma ancestral do próprio Salvador do mundo.[23]

Os estudiosos chegam mesmo a pensar que o livro de Rute foi escrito para combater as tendências exclusivistas de alguns judeus que consideravam todos os demais homens excluídos da esfera do cuidado e interesse de Deus. Esses estudiosos entendem que assim como Jesus contou a parábola do Samaritano para derrubar a prepotência e a arrogância dos judeus exclusivistas, Rute tenha sido escrito para enaltecer como heroína uma moabita que haveria de tornar-se ancestral do grande rei Davi. Há, ainda, outros estudiosos que chegam até a sugerir que o livro é um protesto contra a legislação de Esdras e Neemias quanto ao casamento misto.[24] Rejeitamos essa idéia de que o livro seja uma polêmica contra Esdras e Neemias, mas enfatizamos que Rute foi aceita na congregação do povo de Deus não por ser moabita, mas por ser uma prosélita.

Champlin, enfatizando a universalidade do amor de Deus, afirma que, embora houvesse uma nação escolhida (Is 19.24), o Messias também serviria de "[...] luz para os gentios" (Is 49.6). E o povo escolhido de Israel veio à existência precisamente para tornar essa luz mais brilhante e eficaz. Os livros de Jonas e Rute, pois, atuam como se fossem os trechos de João 3.16 do Antigo Testamento.[25]

Em terceiro lugar, *o poder do amor é mais forte do que os mais duros golpes da vida*. Esse livro é um estandarte que faz tremular no mastro da História a verdade de que o amor é mais forte do que a morte e que nem todas as águas do oceano das adversidades podem apagá-lo. O amor de Rute por Noemi é um farol que continua brilhando na História e continua lançando luz no caminho da humanidade.

Rute faz uma declaração de amor a sua sogra que transcende os mais acendrados votos de amor entre os amantes (1.16,17). Ela faz um juramento de amor a uma sogra estrangeira, velha, viúva, pobre e desamparada. Ela segue com essa sogra para um destino desconhecido sem promessas ou garantias. O amor é o único vetor que lhe dirige os passos.

Outrossim, esse belo romance fala de forma eloqüente sobre as obrigações piedosas dentro da família. Todo o livro gira em torno da família.

Em quarto lugar, *a amizade é o fundamento sobre o qual os relacionamentos precisam ser edificados.* A amizade de Rute com Noemi é um oásis no meio do deserto. Rute e Noemi desfazem o mito de que o relacionamento entre nora e sogra é necessariamente cheio de tensão. Um dos grandes temas do livro é a amizade. A devoção que Rute tem por Noemi e o cuidado de Noemi com Rute percorrem todo o livro, diz Leon Morris.[26]

Rute e Noemi estabeleceram uma aliança de amor diante das circunstâncias mais adversas. Elas semearam uma na vida da outra. Elas cultivaram um relacionamento de lealdade e cuidado uma com a outra. Rute torna-se amiga e filha da sua sogra. Ela passa a ser a provedora da sogra, e a sogra, a sua conselheira. A Bíblia diz: "Em todo o tempo ama o amigo; mas é na adversidade que nasce o irmão" (Pv 17.17). Ricardo Gondim narra a triste história do ex-ditador filipino Ferdinando Marcos e sua mulher Imelda Marcos como exemplos patéticos de desprezo pela amizade. Esse casal endinheirado viveu no luxo ostensivo no palácio de Malacagnã, em Manila. Ele, político famoso, corpo atlético, caçador de leões; ela, mulher vistosa que se orgulhava da sua coleção de 1.500 pares de sapatos. Hoje, o palácio foi transformado em museu. Nos últimos dias do ditador, o palácio foi transformado em uma espécie de UTI. Em cada canto do palácio, havia um tubo de oxigênio. Ferdinando Marcos estava morrendo aos poucos. Sua cama era um leito hospitalar, e sua cadeira, um vaso sanitário adaptado. Ele ficava sozinho dentro do palácio, com medo de todos os que estavam do lado de fora. Aquele casal que havia saqueado os cofres públicos e desviado fortunas para os bancos da Suíça blindaram todas as janelas e paredes do palácio que davam para o lado da rua. Eles não tinham amigos, somente asseclas e subalternos.[27]

Em quinto lugar, *a generosidade e a conduta irrepreensível sempre serão recompensadas*. O destino vitorioso de Rute foi plantado no solo da sua vida irrepreensível e do seu amor abnegado. Sua conduta ilibada e seu amor acendrado pela sua sogra abriram-lhe portas e pavimentaram o caminho da sua felicidade conjugal (2.11,12; 3.11). A abundante semeadura que Rute fez na vida de sua sogra foi recompensada. Seu casamento com um homem piedoso e rico foi a recompensa do investimento que fez na vida da sua sogra. A virtude nunca fica sem recompensa. Quem semeia, ainda que com lágrimas, colhe seus frutos com alegria. Quem semeia com fartura, com abundância faz a sua colheita. Se a recompensa não for recebida na Terra, com certeza será segura no céu.

Em sexto lugar, *uma amizade verdadeira não se desfaz na adversidade nem se enfraquece na prosperidade*. Rute não foi fiel a sua sogra apenas nos tempos de escassez e pobreza. Ela também continuou investindo na vida de sua sogra depois de ter se casado com um homem rico (4.13-17). As próprias mulheres de Belém disseram a Noemi que Rute lhe era melhor do que sete filhos (4.15). Rute não descartou sua sogra quando dela não mais precisava. Rute continuou honrando sua sogra, mesmo depois de ter um marido rico e dar à luz um filho promissor. A sua amizade não era uma relação utilitarista e conveniente. Seu amor não era apenas de palavras, mas de fato e de verdade.

Em sétimo lugar, *quando nossos recursos acabam e nos tornamos totalmente desamparados, Deus nos aponta um remidor.* Um dos temas centrais do livro de Rute é a redenção.[28] Boaz é um símbolo de Cristo, o nosso remidor (4.9,10). Cristo nos remiu, pagou a nossa dívida e nos comprou para Ele. Agora somos Sua propriedade exclusiva. Pertencemos a Ele, e Ele, a nós. Sua provisão nos pertence. Suas riquezas são nossa herança. Sua justiça são as nossas vestes alvas.

Champlin coloca essa verdade assim:

> Boaz é o grande tipo de Redentor, no livro de Rute. A redenção é o conceito central do livro. O termo hebraico correspondente, em suas várias formas, ocorre por nada menos de 23 vezes no livro. Esse termo é *gaal*. Boaz faz isso publicamente, à porta da cidade, diante de testemunhas.[29]

Em oitavo lugar, *as tragédias humanas jamais podem anular os soberanos propósitos de Deus.* O livro de Rute é essencialmente um livro sobre a soberania de Deus. A implicação por toda a obra é que Deus está vigiando Seu povo, fazendo acontecer a eles o que é bom. O livro é a respeito de Deus. Ele governa sobre todas as coisas e abençoa os que confiam nEle, diz Leon Morris.[30]

Os erros da família de Elimeleque tomando o caminho da fuga em um tempo de crise, em vez do enfrentamento da crise; a decisão de fugir da casa do pão, em vez de clamar Àquele que tem pão com fartura não anularam o soberano propósito do Eterno.

A morte de Elimeleque, Malom e Quiliom não frustrou os desígnios de Deus. A viuvez e a pobreza de Noemi não fecharam a porta da providência divina. A amargura existencial de Noemi não impediu o braço de Deus de abrir as janelas dos céus. O casamento de Malom com uma mulher pagã não frustrou o propósito do Eterno de converter-lhe a alma ao Deus de Israel e ser a avó do grande rei Davi e uma das ancestrais do Messias.

No meio de uma noite escura, Deus estava escrevendo um dos capítulos mais emocionantes da História. No meio da tragédia humana, os propósitos soberanos de Deus estavam sendo estabelecidos. Ricardo Gondim escreveu: "Espere com confiança em Deus que o desenrolar do mosaico da sua vida, por fim, terá sentido".[31]

Notas capítulo 1

1. Morris, Leon. *Rute.* Editora Vida Nova. São Paulo, SP, 2006: p. 213.
2. Atkinson, David. *A mensagem de Rute.* ABU Editora. São Paulo, 1991: p. 23.
3. Wiersbe, Warren W. *Comentário bíblico expositivo.* Vol. 2. Geográfica Editora. Santo André, SP, 2006: p. 173.
4. Lange, John Peter. *Lange's commentary on the Holy Scriptures.* Vol. 2. Zondervan Publishing House. Grand Rapids, Michigan, 1980: p. 3.
5. Weiser, A. *Introduction to the Old Testament.* Darton. Longman e Todd, 1961: p. 305.
6. Lange, John Peter. *Lange's commentary on the Holy Scriptures*, 1980: p. 4.
7. Mesquita, Antonio Neves de. *Estudo nos livros de Josué, Juízes e Rute.* Casa Publicadora Batista, Rio de Janeiro, RJ, 1973: p. 231.
8. Morris, Leon. *Rute*, 2006: p. 213.
9. Morison, James. *Ruth in the Pulpit commentary.* Vol. 4. Eerdmans Publishing Company. Grands Rapids, Michigan, 1978: p. xiii.
10. Morris, Leon. *Rute*, 2006: p. 220.
11. Wenham, G. V. et all. *New Bible commentary.* InterVarsity Press. Downers Grove, Illinois, 1998: p. 287.
12. Josefo, Flávio. (*Antig. 5,9,1*); Mesquita, Antonio Neves de. *Estudo nos livros de Josué, Juízes e Rute*, 1973: p. 232.
13. Mesquita, Antonio Neves de. *Estudo nos livros de Josué, Juízes e Rute*, 1973: p. 233.
14. Gondim, Ricardo. *Creia na possibilidade da vitória.* Abba Press. São Paulo, SP, 1995: p. 6.
15. Atkinson, David. *A mensagem de Rute*, 1991: p. 15.
16. Atkinson, David. *A mensagem de Rute*, 1991: p. 20.
17. Anderson, B. W. *The living world of the Old Testament.* Longmans, 1967: p. 106.
18. Atkinson, David. *A mensagem de Rute*, 1991: p. 22.
19. Atkinson, David. *A mensagem de Rute*, 1991: p. 23.
20. Atkinson, David. *A mensagem de Rute*, 1991: p. 23.
21. Baxendale, Walter. *The preacher's homiletic commentary.* Vol. 7. Baker Books, Grand Rapids, Michigan, 1996: p. 8,9.
22. Morris, Leon. *Rute*, 2006: p. 224.
23. Champlin, Russell Norman. *O Antigo Testamento interpretado versículo por versículo*, 2001: p. 1093.

[24] Morris, Leon. *Rute*, 2006: p. 224,225.
[25] Champlin, Russell Norman. *O Antigo Testamento interpretado versículo por versículo*, 2001: p. 1095.
[26] Morris, Leon. *Rute*, 2006: p. 225.
[27] Gondim, Ricardo. *Creia na possibilidade da vitória*, 1995: p. 9,10.
[28] Champlin, Russell Norman. *O Antigo Testamento interpretado versículo por versículo*. Vol. 2. Editora Hagnos. São Paulo, SP, 2001: p. 1092.
[29] Champlin, Russell Norman. *O Antigo Testamento interpretado versículo por versículo*. Vol. 2, 2001: p. 1093.
[30] Morris, Leon. *Rute*, 2006: p. 226.
[31] Gondim, Ricardo. *Creia na possibilidade da vitória*, 1995: p. 10.

Capítulo 2

A saga de uma família
(Rt 1.1-22)

O livro de Rute descreve com cores fortes o drama de uma família. David Atkinson diz que o livro de Rute trata de um homem, sua família e seu destino. Lembra-nos de que o Deus das nações também está interessado nas coisas comuns relacionadas a "um" homem.[32] Diz ainda o mesmo escritor que o interesse de Deus no destino de *um homem* nos dias em que julgavam os juízes deveria nos lembrar que até mesmo as nossas coisas mais comuns são significantes para Deus e se encaixam no Seu cuidado todo-poderoso.[33]

Na escuridão das circunstâncias adversas, essa família belemita saiu da sua terra em busca de refúgio e encontrou a morte. Saiu da casa do pão em busca de sobrevivência e encontrou a sepultura. Eles fugiram da fome, mas não conseguiram escapar da morte.

À guisa de introdução, destacamos três pontos:

Em primeiro lugar, *quando falta liderança espiritual, o povo se desespera* (1.1). Esse episódio aconteceu nos dias em que os juízes dominavam. Os juízes eram homens levantados por Deus para serem os libertadores da nação nas épocas de opressão.[34] Esse foi um tempo de instabilidade política, opressão econômica, corrupção moral e apostasia religiosa. O povo estava entregue a si mesmo. "Naqueles dias, não havia rei em Israel; cada um fazia o que achava mais reto" (Jz 21.25).

O povo estava sem liderança e sem referencial. Embora não possamos afirmar categoricamente em que período dos juízes esse episódio tenha acontecido, C. F. Keil diz que provavelmente esse tempo de fome deu-se no período de sete anos da invasão dos midianitas, quando os produtos da terra foram destruídos (Jz 6.1-6).[35]

Em segundo lugar, *quando a crise chega, fugir nem sempre é a melhor escolha* (1.1). Warren Wiersbe diz que, quando os problemas surgem em nossa vida, podemos fazer uma destas três coisas: suportá-los, fugir deles ou usá-los a nosso favor. Elimeleque tomou a decisão errada quando decidiu fugir e deixar sua terra.[36]

Elimeleque decidiu tirar sua família de Belém e tornar-se um imigrante em Moabe. Havia fome em Belém, a Casa do Pão. Belém fazia uma propaganda enganosa. Seu nome era uma mentira. Os celeiros de Belém estavam vazios. A Casa do Pão estava desprovida de pão. Havia fome na Casa do Pão.

Em vez de esperar em Deus e enfrentar a crise, Elimeleque fugiu para salvar a vida e, nessa fuga, encontrou a própria morte. Elimeleque perdeu a vida procurando a sobrevivência; ele encontrou a sepultura onde buscava um lar. Ele poderia ter evitado os dardos da fome em Israel, mas não conseguiu evitar as flechas da morte em Moabe.[37] Em vez de concentrar-se nas necessidades espirituais, ele concentrou-se nas necessidades físicas.[38] Buscou refúgio na terra das opressões, em vez de buscar socorro debaixo das asas do Deus onipotente. Ele plantou sua casa em Moabe, e Moabe tornou-se a sua sepultura. Ele procurou a segurança dos seus filhos em Moabe, e Moabe tornou-se a cova para seus filhos.

A fuga de Elimeleque para Moabe é estranha e injustificável. Moabe ficava num planalto a leste do mar Morto, a uns oitenta quilômetros de Belém. Os moabitas eram descendentes de Ló. Eles se tornaram idólatras e, por isso, não deviam ser admitidos na congregação de Israel (Dt 2.9; 23.3-6; Jz 11.17). Os moabitas eram adoradores de Camos, um deus a quem faziam sacrifícios humanos. Além de idólatras, os moabitas também eram opressores, pois já haviam oprimido a Israel, quando Eglom, rei de Moabe, invadiu a terra dos israelitas e manteve o povo de Israel na escravidão durante dezoito anos (Jz 3.12-30). Graças a Deus que a Sua providência graciosa não é limitada pela loucura do homem! A providência divina cobre até os nossos pecados.[39] Deus, na Sua providência soberana, transformou aquela saga de dor e sofrimento numa fonte de esperança para o mundo.

Em terceiro lugar, *quando falta pão na Casa do Pão, a solução não é abandonar a Casa do Pão, mas buscar Aquele que tem pão com fartura.* A fuga pode ser necessária em algumas circunstâncias. Por exemplo, quando se trata de enfrentar as tentações do sexo, a Bíblia nos manda fugir (2Tm 2.22).

Ser forte é fugir. José do Egito desviou-se das propostas sedutoras da mulher de Potifar e, quando esta o agarrou, ele fugiu (Gn 39.12). Contudo, em outras circunstâncias, fugir pode ser um gesto insensato e perigoso. Como vimos, Belém significa "casa do pão" ou "celeiro".[40] Quando falta pão na Casa do Pão, a solução não é abandonar Belém, mas esperar a intervenção de Deus. Eles haviam perdido a dádiva do pão, mas não perderam o Doador do pão. Quando falta pão espiritual na igreja, a solução não é abandonar a Casa de Deus, mas buscar aquele que pode nos restaurar e nos dar pão com fartura.

Vamos examinar o capítulo primeiro do livro de Rute, acompanhando a saga dessa família. Seus nomes são significativos. Na maneira hebraica de pensar, saber o nome de uma pessoa é conhecer o seu caráter, conhecer a pessoa. O nome é a pessoa.[41] Leon Morris diz que os nomes, nos tempos antigos, refletiam profundas convicções religiosas.[42]

Elimeleque significa "meu Deus é rei". David Atkinson acredita que há na menção desse nome uma censura à sua falta de dependência e confiança em Deus. Elimeleque liderou sua família a fugir da Casa do Pão, para uma terra idólatra, enquanto deveria ter liderado sua família a buscar a Deus no tempo de crise. Ele não viveu de acordo com seu nome.[43]

Noemi significa "amável, encantadora, agradável". Diante das desventuras sofridas em Moabe, ao retornar a Belém dez anos mais tarde, ela trocou de nome, dizendo a seus vizinhos: "[...] chamai-me Mara; porque grande amargura me tem dado o Todo-poderoso" (1.20).

Malom parece estar ligado a uma raiz cujo significado é "estar enfermo"; e Quiliom significa algo assim como "enfraquecer" ou "definhar", ou até mesmo "aniquilação".[44]

Orfa significa "firmeza", e Rute, "amizade".[45] Esses nomes retratam a vida de suas personagens.

Três verbos sintetizam essa saga: saiu (1.1), voltou (1.6) e chegaram (1.19). Vamos examinar essas três fases na caminhada dessa família.

A saída de Belém, uma escolha perigosa (1.1-5)

Destacamos três pontos importantes para a nossa reflexão:

Em primeiro lugar, *uma família atingida pelo drama da pobreza* (1.1). A fome chegou a Belém e atingiu a todos. Possivelmente, como já dissemos, esse fato aconteceu no período de Gideão, quando os midianitas dominaram Israel e saquearam a sua terra. A opressão dos midianitas foi a vara da disciplina de Deus ao Seu povo inconstante e rebelde. Ninguém escapou dessa amarga situação. Até mesmo as famílias mais abastadas de Belém sofreram as dolorosas conseqüências desse saque impiedoso dos midianitas.

A fome chegou e ela era desesperadora. A fome atormentou a família de Elimeleque, e ele sem consultar a Deus saiu em busca de abrigo em Moabe. Victor Frankl diz que comida, e não liberdade, era o assunto principal nos campos de concentração nazistas.

Em segundo lugar, *uma família atingida pelo drama da imigração* (1.2). Elimeleque e Noemi com seus dois filhos, Malom e Quiliom, fugiram de Belém e foram para Moabe. Eles fugiram da crise, em vez de enfrentá-la. Eles buscaram abrigo em terra estrangeira, em vez de enfrentá-la em sua própria terra. Nem sempre é prudente fugir.

Fugir em tempo de crise é uma precipitação perigosa. Buscar abrigo sob as asas de outra nação pode não ser uma decisão segura. A imigração pode trazer mais dor que alívio, mais lágrima que consolo, mais perda que ganhos, mais morte que vida. A maioria dos imigrantes ainda hoje sofre muitas perdas no âmbito familiar. Há famílias machucadas e enfermas. Tenho conversado com dezenas de imigrantes nos Estados Unidos e Canadá. O dinheiro que alguns deles ganham não compensa o fracasso da família. A segurança econômica que alcançam não tapa as brechas emocionais geradas pelo colapso da família.

Os homens estão perdendo a capacidade de enfrentar crises. É mais fácil fugir, mas também é mais perigoso. Muitos já não sabem mais administrar uma crise no casamento e preferem fugir pelas portas do fundo do divórcio. Há aqueles que não sabem lidar mais com as tensões familiares. Brigam e se separam ao sinal da primeira tempestade. Desfazem os votos de compromisso ao sinal do primeiro desentendimento. Muitos não sabem lidar com uma crise na igreja e preferem abandonar a Casa do Senhor a buscar em Deus uma solução.

Em terceiro lugar, *uma família atingida pelo drama das perdas sucessivas* (1.3-5). Em Moabe, Elimeleque, Malom e Quiliom não encontraram sobrevivência, mas a morte. A morte não respeita idade, força nem beleza. Ela leva tanto o velho quanto o jovem. Noemi ficou viúva, pobre, sem filhos e em terra estranha. Eles saíram para buscar pão e encontraram a sepultura. Saíram para fugir da crise e deram de cara com ela.

Noemi sofreu as mais profundas e sucessivas perdas. Ela saiu de Belém por causa de bens materiais, objetos. Contudo, em Moabe ela perdeu não apenas coisas, mas pessoas. Ela não perdeu apenas pessoas, mas perdeu as pessoas mais importantes da sua vida. Perdeu não apenas dinheiro, mas relacionamentos. Perdeu não apenas o supérfluo, mas o essencial. Além de perder os três homens da sua família, Noemi ficou sem qualquer herdeiro que pudesse dar continuidade à herança deles. Seus homens morreram, e com eles os seus nomes![46]

O marido e os filhos de Noemi morreram precocemente. Abraão morreu em idade avançada; Jó antes de morrer viu seus filhos, netos e bisnetos. A morte de uma pessoa jovem tem um tom de tragédia. Na perspectiva humana, a morte chegou cedo demais na vida de Elimeleque, Malom e Quiliom. Eles furaram a fila e deixaram Noemi desamparada.

Noemi enfrentou o drama da solidão em Moabe. Ela ficou sozinha em terra estranha. Ela não tinha mais idade para casar-se novamente. Não tinha mais ninguém a quem recorrer. Não tinha sequer um parente em quem buscar ajuda. Não tinha marido nem filhos. Não tinha parentes nem dinheiro. Estava absolutamente só, sem lar, sem marido, sem filhos, sem amigos, sem esperança, sem herança.

A saída dessa família de Belém em tempo de crise nos adverte sobre três questões fundamentais:

O enfrentamento das crises é melhor do que a fuga delas. Nem todos fugiram de Belém no tempo da fome. A fuga não era a única porta de escape. Essa família precipitou-se em busca de uma solução imediata. Eles escolheram o caminho mais fácil. Contudo, esse caminho tornou-se o mais amargo, o mais doloroso. Ainda hoje, o enfrentamento é melhor do que a fuga. Os soldados de Saul, por olharem para Golias com os óculos do pessimismo, fugiram quarenta dias ensopados de medo, com as pernas bambas e com as mãos descaídas, mas Davi olhou não para a altura do gigante nem para as suas insolências, mas para a onipotência de Deus. Por isso, avançou contra Golias e prevaleceu!

Os planos humanos fora da vontade de Deus são frustrados. Tomar decisões sem consultar a Deus e sem seguir Sua orientação é fazer escolhas para o desastre. Escolher os caminhos mais fáceis na hora da crise nem sempre é a decisão mais segura. Nossa confiança precisa estar no provedor mais do que na provisão. Quando as coisas nos faltarem, precisamos nos alegrar em Deus como o profeta Habacuque (Hc 3.15-17). O dinheiro não é um refúgio seguro. Ele não nos livra da doença nem da morte.

As decisões precipitadas nos prendem por mais tempo que gostaríamos. Essa família saiu para fugir de uma crise, mas esse tempo foi mais longo do que planejaram. Leon Morris diz que o uso do verbo hebraico *gûr*, "saiu", denota que o homem planejava retornar no devido tempo. É a palavra certa para designar um residente estrangeiro.[47] Foi o tempo suficiente para que a enfermidade e a morte visitassem a casa de Noemi três vezes. Noemi ficou em Moabe quase dez anos (1.4b). Nesse tempo, ela colecionou perdas sucessivas, tragédias sobre tragédias.

O livro de Rute, apesar de descrever com cores fortes os desastres sucessivos que desabaram sobre Noemi, revela, também, que Deus jamais desperdiça sofrimento na vida do Seu povo. O sofrimento de Noemi parece insuportável, as circunstâncias parecem injustas e as perguntas sem resposta. Nessas horas, precisamos aprender a descansar na providência amorosa do Eterno, deixar as dificuldades nas mãos de Deus, mesmo sem receber uma resposta, sabendo que "por trás de toda providência carrancuda, esconde-se uma face sorridente".

A volta para Belém, um misto de dor e esperança (1.6-18)

Cinco verdades devem ser destacadas aqui:

Em primeiro lugar, *uma lembrança muito esperançosa* (1.6). Na Sua ira, Deus se lembra da misericórdia. A mesma mão que fere, também cura. O mesmo Deus que disciplina, também restaura. O mesmo Deus que envia a fome, envia também o pão como gesto de Sua graça. A crise não dura para sempre. No meio da crise, Deus aponta uma saída e se lembra do Seu povo para restaurá-lo. O vale da ameaça transforma-se no vale da bênção. O vale árido, o vale de Baca, o vale do choro, transforma-se num manancial. O texto bíblico diz: "Então, se dispôs ela com as suas noras e voltou da terra de Moabe, porquanto, nesta, ouviu que o Senhor se lembrara do seu povo, dando-lhe pão" (1.6).

David Atkinson afirma corretamente que as notícias que Noemi recebeu não são expressas em termos como: "o tempo melhorou", ou "houve uma inversão econômica", ou "a ameaça da invasão estrangeira desapareceu". As notícias chegaram a Noemi em termos da ação do Senhor. O alimento que agora existia em Belém é entendido por Noemi como um dom de Deus.[48]

Noemi ouviu que Deus visitara o Seu povo e creu. O fato de Deus visitar o Seu povo é a maior razão para que aqueles que estão longe voltem-se para Ele. Os grandes avivamentos espirituais aconteceram quando Deus visitou o Seu povo, e, então, os dispersos voltaram para a Casa do Pão.

Em segundo lugar, *uma despedida muito dolorosa* (1.6-14). Noemi perdeu o que havia levado para Moabe e agora está prestes a perder tudo o que encontrara em Moabe, suas duas noras. Ela está se despedindo das únicas pessoas que ainda faziam parte da sua vida. Ela está se despedindo das únicas pessoas que podiam dar-lhe uma esperança, uma descendência.

Ela está rompendo laços extremamente importantes na vida. Ela está com o coração partido. Sabe que não tem nada a oferecer nem nada a reivindicar. Ela perdeu o marido e os filhos sem nada poder fazer. Agora abre mão voluntariamente das noras. Sua história está marcada pelas perdas involuntárias e voluntárias.

Noemi despede-se de suas noras chamando-as de filhas e orando por elas. Ela invoca o Deus da aliança, usando o nome Iavé. Ela agradece a elas a lealdade e pede a Deus Sua misericórdia sobre elas. Ela pede a Deus prosperidade e felicidade para suas noras, ou seja, um novo casamento, a única carreira aberta às mulheres viúvas.

Em meio a todos os dramas vividos em Moabe, Noemi tinha uma profunda amizade com suas noras. Elas se ligaram a Noemi não por interesses subalternos, mas por amor. Elas queriam acompanhá-la, a despeito de Noemi não poder lhes dar nada em troca. Nessa despedida, houve beijos e lágrimas (1.9,14). Por duas vezes, elas choraram em voz alta (1.9,14). Elas não esconderam suas emoções e seus sentimentos, nem Noemi, a sua desventura.

Em terceiro lugar, *uma justificativa muito realista* (1.8-13). Noemi não só se despede de suas noras, mas justifica a absoluta impossibilidade delas a acompanharem a Belém. Ela lista duas razões pelas quais suas noras não podiam ir com ela:

Ela já estava velha demais e nada tinha a oferecer às suas noras (1.12). Noemi se sente um peso para suas noras mais do que uma provedora. Ela é viúva pobre, sem filhos e velha demais para casar-se novamente e gerar outros filhos que pudessem desposar suas noras. Ela não tem mais futuro, apenas um passado de dor. A palavra traduzida por "viúva" não apenas indica a morte do marido, mas também dá idéia de solidão, abandono e desamparo.[49] As viúvas eram geralmente mencionadas com os órfãos e os estrangeiros.

Ela não tinha mais filhos e não podia oferecer a felicidade de um lar às suas noras (1.9,12,13). Naquele tempo, quando um irmão morria sem deixar descendente, o irmão mais novo devia desposar a viúva para suscitar um descendente ao morto, para sua memória não ser apagada da terra. As noras de Noemi ficaram viúvas e sem filhos. Noemi, porém, não tinha mais filhos para desposá-las. Não apenas ela estava velha demais para casar-se novamente, mas também, ainda que isso fosse possível, as noras não poderiam esperar por tanto tempo por um marido.

Em quarto lugar, *uma amargura muito sofrida* (1.13). Noemi não apenas sofreu perdas materiais e humanas, mas também sofreu grandes perdas espirituais. Ela se sente injustiçada por Deus. Ela se vê vítima não do inimigo, mas de Deus. Ela atribui toda a tragédia que aconteceu em sua vida a Deus. Ela vê Deus como seu inimigo. Ela, como Jó, entendia que Deus é quem estava dirigindo todas as coisas para atormentar a sua vida. Ela responsabilizava Deus pela sua tragédia. Ela estava com raiva de Deus. Ela era não apenas uma viúva velha, pobre e sem filhos, mas também estava amargurada contra Deus.

Noemi não se rendeu aos deuses pagãos de Moabe, mas, de outro lado, não teve uma compreensão lúcida acerca do Deus de Israel. Ela sabia que as coisas não aconteciam por acaso nem por um determinismo cego. Ela acreditava na soberania de Deus, mas sua concepção de Deus estava fora de foco. Ela viu Deus como um inimigo que estava contra ela, descarregando sobre ela a Sua mão.

Noemi estava com o coração repleto de mágoa. Ela atribuiu todo o seu sofrimento a Deus. Noemi fez cinco afirmações pesadas acerca de Deus. Primeiro, ela afirmou em alto e bom som que Deus descarregou sobre ela a Sua mão (1.13). Segundo, ela disse graficamente que Deus lhe deu grande amargura (1.20). Terceiro, ela disse que Deus a deixou pobre (1.21). Quarto, ela disse que o Todo-poderoso a afligiu (1.21). Quinto, ela disse que Deus manifestou-se contra ela (1.21).

Em quinto lugar, *uma declaração de amor muito especial* (1.14-18). Diante da insistência de Noemi, Orfa voltou ao seu povo e aos seus deuses (1.15), porém Rute se dispôs a seguir sua sogra à terra de Belém. A mesma causa induziu Orfa a ir embora, e Rute a permanecer, isto é, o fato de que Noemi já não tinha filhos, nem esposo. A primeira deseja tornar-se esposa outra vez; a outra, continuar a ser filha.[50]

Rute faz uma bela afirmação de fidelidade, determinação e compromisso de amor. Rute quer compartilhar o futuro de Noemi: sua viagem, seu lar, sua fé. É a promessa de uma fidelidade sincera na vida e para toda a vida. É a expressão de amor e compromisso na viagem, no lar, na família, na vida e na morte. Ela se converte ao Deus de Noemi e O invoca para firmar seu juramento.[51] Destacamos aqui, alguns pontos importantes acerca do amor de Rute:

O relacionamento marcado pelo amor é mais importante do que coisas (1.14b). A Bíblia diz que Rute se apegou a Noemi. Sua amizade com a sogra não era interesseira. A relação havia sido edificada sobre o fundamento sólido do amor, e não sobre a areia movediça dos interesses. O amor é mais forte do que a morte. Nem os rios podem afogá-lo. O amor é guerreiro, é combativo, ele tudo sofre, tudo crê, tudo espera, tudo suporta. O amor jamais acaba.

O relacionamento marcado pelo amor não desiste diante das dificuldades (1.15). Rute disse a Noemi: "Não me instes para que te deixe e me obrigue a não seguir-te..." (1.16). O amor é paciente. Ele não retrocede diante das dificuldades. Ele é firme no seu propósito. Ele não se curva diante dos arrazoados da lógica. Nenhum argumento usado por Noemi demoveria Rute de segui-la. O amor vai às últimas conseqüências para estar ao lado da pessoa amada.

O relacionamento marcado pelo amor está disposto a fazer novas caminhadas (1.16). Rute disse: "[...] porque, aonde quer que fores, irei eu e, onde quer que pousares, ali pousarei eu...". O amor não faz exigências. Ele tem disposição para enfrentar novos desafios. Ele se sacrifica a favor da pessoa amada. Rute está pronta a deixar sua terra, sua parentela, sua religião, para caminhar na companhia de sua sogra, sem garantias do amanhã.

O relacionamento marcado pelo amor está disposto a assumir novos compromissos (1.16b). Rute diz a Noemi: "[...] o teu povo é o meu povo, o teu Deus é o meu Deus". Rute está pronta a começar novos relacionamentos com os homens e com Deus. Ela está disposta a fazer rompimentos com o passado e novas alianças com o futuro. Ela está disposta a deixar sua terra e seus deuses para abraçar o povo de Deus e o Deus desse povo. Rute não apenas ama a sua sogra, mas se converte ao Deus de sua sogra e adota o povo de sua sogra como o seu povo.

O relacionamento marcado pelo amor é uma aliança que nunca pode ser quebrada (1.17). Rute ousadamente diz a Noemi: "Onde quer que morreres, morrerei eu e aí serei sepultada...". O compromisso do amor não se extingue com a morte. Rute não retrocederá em sua aliança depois da morte de sua sogra. Ela jamais voltará à sua terra e aos seus primitivos deuses, ainda que sua sogra venha a morrer. Sua aliança com sua sogra é definitiva. Ela dispôs-se a seguir Noemi e cortou todas as pontes do passado.

O relacionamento marcado pelo amor tem coragem de fazer juramentos solenes (1.17b). Rute termina sua fala com Noemi, assim: "[...] faça-me o Senhor o que bem lhe aprouver, se outra cousa que não seja a morte me separar de ti". Rute não só faz promessas, mas faz promessas sob juramento. Ela não somente faz juramento com promessas, mas o faz na presença de Deus. Ela empenha sua palavra e coloca nela o sinete do seu juramento. Ela firma uma aliança e dá garantias da perenidade desse pacto.

A chegada a Belém, um tempo de recomeço (1.19-22)

A chegada de Noemi a Belém depois de dez anos produziu profundos sentimentos no povo da cidade e no próprio coração dela. Destacamos três fatos:

Em primeiro lugar, *uma comoção geral* (1.19). A chegada de Noemi e Rute a Belém chamou a atenção de toda a cidade. Elas ganharam notoriedade não pelo sucesso alcançado em Moabe, mas pelas tragédias colhidas naquelas plagas. Toda a cidade se comoveu ao ver aquela que saíra ditosa e voltara pobre. Saíra casada e voltara viúva. Saíra com dois filhos e voltara apenas com o atestado de óbito de ambos.

O que provoca espanto e comoção em Belém é o retorno de Noemi depois de tantas perdas, de tantas tragédias, de tantos desastres.

Em segundo lugar, *uma lamentação pessoal* (1.20,21). O primeiro ato de Noemi em Belém foi mudar o seu nome. Ela não quis mais ser chamada de Noemi, "agradável, feliz", mas de Mara, "amargura". Ela estava tomada por um profundo senso de autopiedade. Ela queria que todos soubessem quanta dor, quanta amargura e quanta tristeza latejavam em seu peito. Ela não queria mais ostentar um nome que era a negação de toda a sua dolorosa experiência vivida em Moabe. Ela olhava para o passado e não tinha mais nenhum motivo para alegrar-se.

A lamentação de Noemi é endereçada contra Deus. As tragédias que desabaram sobre sua vida tinham uma causa, ou melhor, um causador. Ela atribuiu todo o seu infortúnio a Deus. Ela disse que Deus lhe dera não felicidade, mas amargura (1.20). Deus lhe dera não felicidade e prosperidade, mas pobreza (1.21). Deus estava não com ela, mas contra ela (1.21). Deus estava não consolando, mas afligindo a sua vida (1.21). Para Noemi, o Deus todo-poderoso usara Seu poder não para socorrê-la, mas para torná-la amarga e infeliz.

Leon Morris diz que Noemi não pensa em sorte, ou na obra dos deuses pagãos. Ela tem certeza de que seu Deus está por cima de tudo, de tal forma que a explicação das coisas amargas que ela tem experimentado deve estar com Ele. O nome que ela usa para Deus é *Shaddai*, "Todo-poderoso". Noemi está pensando no poder irresistível de Deus.[52] Ela se sentia prisioneira de Deus, e sua porção era o cálice do sofrimento.

Em terceiro lugar, *uma providência especial* (1.22). A despeito das circunstâncias adversas e dos sentimentos turbulentos de Noemi, ela chegou com sua nora Rute a Belém exatamente no princípio da sega da cevada (1.22). Aqui um novo capítulo se abre na vida dessas duas viúvas. A providência carrancuda da crise vai mostrar a face sorridente da graça. A extrema pobreza dessas duas mulheres vai abrir as cortinas para um tempo novo de riqueza e felicidade para ambas. A própria mão da providência as trouxera de Moabe para protagonizarem uma das mais lindas histórias de toda a Bíblia. A nora estrangeira seria sua provedora. A nora moabita seria para ela melhor do que sete filhos. A nora moabita seria sua filha, mãe de seu neto, avó do grande rei Davi, e ancestral do Messias (Mt 1.5).

Aprenda a olhar para a vida na perspectiva de Deus

Ao examinar a saga dessa família belemita, devemos tirar algumas lições:

Em primeiro lugar, *pare de reclamar das adversidades e olhe para as coisas boas que estão acontecendo com você* (1.14-17). Noemi estava voltando pobre para Belém, mas trazia uma bagagem muito pesada e incômoda. Ela estava arquejada debaixo do peso esmagador da amargura. Ela estava amargurada com a vida e revoltada contra Deus. Ela olhou ao seu redor e não viu nenhum sinal de benevolência. Enxergou tudo com as lentes embaçadas do pessimismo. Ela deixou de ver a amizade sincera de Orfa e o amor acendrado de Rute. Tinha coisa boa acontecendo na sua vida, mas ela não teve tempo nem disposição para meditar sobre isso.

Em segundo lugar, *pare de olhar para Deus como aquele que está lutando contra você; veja-O como aquele que luta por você* (1.20-22). Noemi estava amargurada porque, embora acreditasse plenamente que Deus estava no controle de todas as coisas, e que Ele é o Todo-poderoso, pensou que Deus estava contra ela, e não a seu favor. Ela olhou para Deus como Seu inimigo e flagelador, e não como Seu refúgio e consolo. Ela pensou que Deus trabalhava contra ela, e não a seu favor.

É possível que a vida tenha levado você também por caminhos difíceis, perdas enormes, sofrimento avassalador. Noemi perdeu seu marido, seus filhos, seus bens. As tragédias se multiplicaram na sua vida e vieram sobre ela como uma avalancha. Todavia, quando tudo parecia perdido e sem sentido, Deus estava escrevendo uma linda história na vida dessa mulher. Aquela família estava sendo levantada para ser precursora do Messias.

Quando você não puder explicar o que Deus está fazendo em sua vida, pode compreender que Deus é soberano, que Ele ama você e que trabalha no turno da noite para abençoá-lo(a), pois todas as coisas cooperam para o seu bem.

Em terceiro lugar, *pare de aceitar precocemente a decretação da derrota em sua vida* (1.8). Noemi despediu-se de suas noras por entender que chegara ao fim da linha, ao fundo do poço. Ela lavrou sua sentença como perdedora e pensou que o futuro estava carimbado pelo fracasso irreversível. Não considere a luta perdida no primeiro "*round*". É muito cedo para entregar os pontos no primeiro tempo do jogo. Noemi entregou os pontos e se deu por vencida antes de a luta acabar. Ela pensou que estava tudo acabado. No entanto, o último capítulo da sua vida ainda não havia sido escrito. Deus ainda haveria de reverter o resultado desse jogo. Espere um pouco mais, e as coisas mudarão.

Abraão esperava ser pai do filho da promessa aos 99 anos. Possivelmente alguns o rotularam como um velho caduco e ingênuo. Contudo, Abraão não foi um perdedor. Ele esperou contra a esperança e triunfou pela fé, tornando-se o pai de todos os que crêem no Senhor.

Moisés, depois de estudar quarenta anos nas grandes universidades do Egito, passou mais quarenta anos no deserto. Trocou o cetro pelo cajado, o palácio pelas escarpadas montanhas do Sinai. Talvez alguém o tenha rotulado como um derrotado, mas, com aquele cajado na mão, ele liderou o povo israelita rumo à liberdade, e, com uma vara, fez dobrar o maior império do mundo. Quem fala de uma pessoa cujo capítulo final ainda não foi escrito, candidata-se a ter de engolir suas palavras.

Em quarto lugar, *pare de limitar o poder de Deus; jamais perca a esperança de um milagre* (1.12). Noemi perdeu a esperança. Ela olhou para o futuro e não enxergou uma luz no fim do túnel. Ela achou que sua idade avançada era uma limitação absoluta à intervenção milagrosa de Deus. Quando uma pessoa perde a esperança, ela se abate, porque não encontra mais razão para lutar. A esperança é a força que nos impulsiona a ir adiante. Olhar para o futuro com esperança é dizer: "Amanhã vai ser melhor do que hoje".

Um jovem fotógrafo, ao bater a foto de um ancião, com 80 anos de idade, disse-lhe: "Pois é, vamos ver se celebramos os 100 anos! O idoso respondeu: É, pela sua saúde, eu estou achando que você chega lá e poderemos celebrar juntos".[53]

Há um estudo nos Estados Unidos que revela que as pessoas que se aposentam e vestem o pijama e se acomodam, assistindo à televisão, morrem dentro de cinco anos. O ser humano precisa de uma motivação para viver.[54]

Em quinto lugar, *pare de pensar que, pelo fato de você estar passando por uma prova, seu destino é sofrer* (1.20). Noemi pensou que o sofrimento tinha se instalado de maneira tão definitiva em sua vida que este era agora seu destino final. Ela chegou até a mudar de nome para erguer um monumento à sua dor. Embora neste mundo passemos por aflições, você não foi destinado a sofrer. O projeto de Deus para a sua vida não é o sofrimento, mas a bem-aventurança. As suas leves e momentâneas tribulações se converterão em eterno peso de glória. Os sofrimentos do tempo presente não são para comparar com as glórias por vir a serem reveladas em nós. Não aceite o fatalismo em sua vida. O mundo não é governado por leis cegas nem pelo acaso. Aquele que governa os céus e a terra é o Pai das luzes, o bendito Deus e Pai de nosso Senhor Jesus, o Pai de misericórdia, Aquele que nos ama com amor eterno.

Em sexto lugar, *pare de olhar para as tribulações da vida como maldição de Deus* (1.13). Noemi associou a tribulação com maldição de Deus. Ela viu suas desventuras como resultado de Deus descarregar contra ela a Sua mão. Tiago diz: "Meus irmãos, tende por motivo de toda alegria o passardes por várias provações" (Tg 1.2). A vida de Noemi não estava debaixo de maldição. Noemi pensou que Deus estava trabalhando contra ela, quando na verdade Deus estava trabalhando por ela. Quando começamos a aceitar o fatalismo do sofrimento, nos sentimos impotentes e apáticos.

Mesmo quando não encontramos explicações plausíveis para o nosso sofrimento, podemos afirmar pela fé: "Sabemos que todas as coisas cooperam para o bem daqueles que amam a Deus, daqueles que são chamados segundo o seu propósito" (Rm 8.28).

A relação automática entre o sofrimento e uma punição de Deus foi uma leitura errada que Noemi fez. Muitas vezes, o sofrimento não é uma ação direta de Deus, mas conseqüência direta da quebra da Sua lei moral. As declarações de Noemi de que ela partira ditosa, mas Deus a fizera voltar pobre, de que o Senhor se manifestara contra ela e o Todo-poderoso a afligira, não eram verdadeiras. Ela deixou de crer que Deus estava no controle de todas as coisas, trabalhando para o seu bem, em vez de estar trabalhando contra ela.

O último capítulo da história de Noemi foi de vitória, de alegria e de esperança. Noemi viu que sua descendência cumpriu o projeto de Deus na terra. Quando perdemos o controle, Deus continua no controle. Quando achamos que Deus está indiferente à nossa dor, ou mesmo contra nós, Ele abre a porta da esperança e nos mostra que sempre esteve trabalhando a nosso favor!

Notas capítulo 2

[32] ATKINSON, David. *A mensagem de Rute*. ABU Editora. São Paulo, SP, 1991: p. 31.
[33] ATKINSON, David. *A mensagem de Rute*, 1991: p. 32.
[34] CUNDALL, Arthur E. e MORRIS, Leon. *Juízes e Rute: Introdução e comentário*. Vida Nova. São Paulo, SP, 2006: p. 230.
[35] KEIL, C. F. e DELITZSCH, F. *Commentary on the Old Testament*. Vol. 2. William B. Eerdmans Publishing House. Grand Rapids, Michigan, 1980: p. 470.
[36] WIERSBE, Warren W. *Comentário bíblico expositivo*. Vol. 2, 2006: p. 174.
[37] BAXENDALE, Walter. *The preacher's complete homiletic commentary on the book of Ruth*, 1996: p. 21.
[38] WIERSBE, Warren W. *Comentário bíblico expositivo*. Vol. 2, 2006: p. 174.
[39] ATKINSON, David. *A mensagem de Rute*, 1991: p. 33,34.
[40] CUNDALL, Arthur E. e MORRIS, Leon. *Juízes e Rute: Introdução e comentário*, 2006: p. 232.
[41] ATKINSON, David. *A mensagem de Rute*, 1991: p. 34.
[42] CUNDALL, Arthur E. e MORRIS, Leon. *Juízes e Rute: Introdução e comentário*, 2006: p. 233.
[43] ATKINSON, David. *A mensagem de Rute*, 1991: p. 34.
[44] ATKINSON, David. *A mensagem de Rute*, 1991: p. 35.
[45] CUNDALL, Arthur E. e MORRIS, Leon. *Juízes e Rute: Introdução e comentário*, 2006: p. 234,235.
[46] ATKINSON, David. *A mensagem de Rute*, 1991: p. 38.
[47] CUNDALL, Arthur E. e MORRIS, Leon. *Juízes e Rute: Introdução e comentário*, 2006: p. 231.
[48] ATKINSON, David. *A mensagem de Rute*, 1991: p. 40.
[49] BROWN, C. *Dicionário da Teologia do Novo Testamento*. Vol. 3. Edições Vida Nova. São Paulo, SP, 1983: p. 348.
[50] CUNDALL, Arthur E. e MORRIS, Leon. *Juízes e Rute: Introdução e comentário*, 2006: p. 243.
[51] ATKINSON, David. *A mensagem de Rute*, 1991: p. 50.
[52] CUNDALL, Arthur E. e MORRIS, Leon. *Juízes e Rute: Introdução e comentário*, 2006: p. 246,247.
[53] GONDIM, Ricardo. *Creia na possibilidade da vitória*. Abba Press. São Paulo, SP, 1995: p. 19.
[54] GONDIM, Ricardo. *Creia na possibilidade da vitória*, 1995: p. 19.

Capítulo 3

Fome na Casa do Pão
(Rt 1.1-22)

Vou apresentar, agora, um novo enfoque nesse capítulo primeiro do livro de Rute. Vamos olhá-lo na perspectiva da fome na Casa do Pão, fazendo uma aplicação para a igreja contemporânea.

A fome é uma experiência dolorosa. Ela produz inquietação, desespero e até mesmo a morte. Todavia, a fome é capaz de alimentar-se da própria morte. Há muitos anos, um avião caiu nas montanhas geladas dos Andes. Muitas pessoas morreram. Os que escaparam da morte, transidos de frio e castigados pela fome, alimentaram-se de carne humana para sobreviverem. Seus companheiros de viagem tornaram-se alimento. Para fugirem da morte, sobreviveram por causa da morte daquelas desventuradas vítimas.

Estive visitando a Coréia do Sul em 1997. Ao mesmo tempo que vi a riqueza e a prosperidade daquele tigre asiático, emergido das cinzas e dos destroços da guerra e da opressão, vi também a miséria amarga em que se encontrava a Coréia do Norte. Dominada pela mão de ferro do ditador Kim Jong-II, aquela nação está ainda imersa no mais profundo desespero econômico. Enquanto o governo vive encastelado na pompa mais regalada, o povo é assolado por uma pobreza aviltante. Retornando daquela viagem, li na *Folha de S. Paulo*, no dia 2 de maio de 1997, que as autoridades sanitárias da Coréia do Norte estavam tomando medidas drásticas para evitar que as pessoas castigadas pela fome comessem os seus próprios mortos.

A fome é pior do que a morte. Quando Jerusalém foi entrincheirada por Nabucodonosor, os judeus viveram também essa dramática realidade. Jeremias chegou a dizer que os que morreram à espada foram mais felizes do que aqueles que sucumbiram pela fome (Lm 4.9). A fome mata pouco a pouco. É uma tortura em câmara lenta. Ela suga as energias e retira lentamente o oxigênio da pessoa. A fome dói. A fome consome. A fome mata.

Há fartura de pão no mundo, mas o descaso daqueles que têm fartura de pão por aqueles que estão famintos é tão grande que ainda vemos rostos desfigurados pela fome, crianças revirando os latões de lixo das nossas cidades, disputando com os urubus e cães doentes um pedaço de pão para mitigar a macabra fome. Enquanto uma minoria banqueteia-se regaladamente, ainda assistimos ao espetáculo doloroso de crianças e velhos com o ventre estufado, com o corpo macérrimo, com a pele furada pelas costelas em ponta, com os olhos sem brilho e o coração sem esperança, fuzilados pela dor de um estômago vazio.

Milhões de pessoas morrem no mundo todos os anos, vitimadas pela fome. Outras vivem com o ventre empanturrado de farinha com água, mas desnutridas. Não poucos têm pão, mas com escassez. Li sobre uma grande família no sertão brasileiro que passou uma semana inteira alimentando-se apenas com um quilo de feijão. Todos os dias cozinhavam o mesmo feijão, tomando apenas o seu caldo.

A fome é uma realidade universal. Ela tem castigado o ser humano desde o começo da humanidade, e é uma das marcas do fim dos tempos. Belém de Judá também estava enfrentando um tempo de fome (1.1-3). A terra que manava leite e mel estava agora assolada. O solo ubérrimo se tornara seco e estéril. Os campos férteis não tinham nenhum sinal de vida. A fome alastrava-se, deixando um rastro de pânico e medo. A crise econômica era conseqüência da crise espiritual. Aquele era o tempo dos juízes, um longo período de mais de trezentos anos de muita instabilidade e inconstância do povo de Israel. O povo só se voltava para Deus na hora do aperto, mas se esquecia dEle nos tempos de bonança. Na verdade, aquele foi um tempo em que a nação se desviara de Deus. Cada um seguia o seu próprio coração. A Palavra de Deus fora esquecida, a apostasia tomou conta do povo e este virou as costas para o Senhor. A seca, a invasão do inimigo e a fome vieram, então, como juízo de Deus sobre a nação rebelde.

Quando o povo se afasta de Deus, os céus retêm as chuvas, e a fome assola a terra. Quando a igreja perde o fervor espiritual, ela perde a capacidade de alimentar as multidões com o pão espiritual. Quando falta pão na igreja, o mundo entra em colapso. Esse fato pode ser visto no livro de Rute.

Fome de pão na Casa do Pão

Na Segunda Guerra Mundial, houve muitas atrocidades. Homens perversos, embrutecidos e dominados pela malignidade sacrificaram milhões de vidas, fazendo-as perecer nas câmaras de gás, nos paredões de fuzilamento, nos campos de concentração e castigando-as com trabalhos forçados e escassez de pão.

Após a guerra, várias crianças órfãs foram levadas para um orfanato. Inquietas, elas não conseguiam dormir. Ao serem observadas por um psicólogo, este percebeu que a inquietação das crianças era a insegurança e o medo de lhes faltar o pão. O medo da fome lhes roubava o sono. O psicólogo orientou que cada criança antes de dormir deveria receber um pedaço de pão não para comer, mas para segurar. Assim, as crianças se aquietaram e conseguiram dormir seguras e sossegadas. A fome traz inquietação. A certeza de que teriam pão no dia seguinte curou as crianças da inquietação que lhes roubava o sono.

Houve fome de pão em Belém, a Casa do Pão. Belém é um símbolo da igreja. Muitas vezes, também, falta pão na igreja, e as pessoas começam a passar fome. O pão que falta na igreja não é aquele feito de trigo, mas aquele que procede da boca de Deus. É a fome desse pão do céu que nos faz buscar a Deus com todas as forças da nossa alma.

No dia em que a nossa fome de Deus for maior do que a fome por comida, por dinheiro, por fama e reconhecimento, então poderemos experimentar as maravilhas de Deus. No entanto, precisamos também tapar os ouvidos ao clamor pessimista daqueles que nos dizem que não vamos conseguir, que a crise nos vencerá e que jamais Deus nos dará pão com fartura.

Quando falta pão na Casa do Pão, as pessoas se desesperam

O livro de Rute é uma história de amor que ensina ricas lições espirituais.[55] Tommy Tenney, em seu livro *Os caçadores de Deus*, faz uma profunda e pertinente exposição do capítulo primeiro de Rute. Ele escreve sobre a fome que castigou a cidade de Belém e suas implicações para a igreja contemporânea. Houve um tempo em que o nome da cidade de Belém era apenas uma propaganda enganosa, uma promessa vazia, uma negação da sua realidade. Houve um dia em que os fornos de Belém ficaram frios e cobertos de cinza, e as prateleiras, vazias. A terra tórrida gemia sob o calor inclemente e escaldante do sol. A chuva dadivosa e benfazeja foi retida, e o céu fechou suas comportas. A semente perecia sem vida no ventre da terra. Nos pastos, o gado mugia desassossegado pela fome. Nos currais, não havia ovelhas. Nos campos, outrora farturosos, não havia frutos. Nas casas, não havia pão, e o povo começou a passar fome.

Onde há fome, há inquietação. Onde a fome chega, reina o desespero. A fome é implacável. Ela abate sem piedade as suas vítimas. A Casa do Pão ficou sem pão. As pessoas chegavam de todos os lados à procura de pão, mas voltavam de mãos vazias. Suas esperanças eram frustradas. Belém tornou-se um lugar de inquietação e angústia, e não de satisfação e plenitude.

Belém, um retrato da igreja

A Casa do Pão, vazia de pão, é um retrato da igreja contemporânea. A igreja também é a casa do pão. As pessoas estão famintas. Elas têm necessidades não do pão que perece, mas do pão da vida. O próprio Deus é quem coloca essa fome em nós: "Eis que vêm dias, diz o Senhor Deus, em que enviarei fome sobre a terra, não de pão, nem sede de água, mas de ouvir as palavras do Senhor" (Am 8.11). Muitas pessoas buscam saciar sua fome espiritual na igreja, mas não encontram nela o pão da vida. Muitas pessoas buscam Deus na igreja, mas não O encontram na igreja. Encontram muito do homem e pouco de Deus. Encontram muito ritual e pouco pão espiritual. Encontram muito da terra e pouco do céu.

A igreja hoje está também substituindo o pão do céu por outro alimento. Está pregando o que o povo quer ouvir, e não o que o povo precisa ouvir. Prega-se para agradar, e não para alimentar. Dá-se palha, em vez de trigo, ao povo (Jr 23.28).

Há igrejas, também, que, além de não terem pão, estão vendendo farelo para o povo, e cobrando caro por ele. Há líderes que, além de adulterar o evangelho, ainda o têm comercializado e mercadejado. Na ânsia do *ter* mais do que na busca do *ser*, muitas igrejas estão desengavetando as indulgências da Idade Média, dando-lhes novas roupagens, mercadejando a graça de Deus e induzindo o povo incauto ao misticismo mais tosco.

Contudo, também, há igrejas que estão dando veneno, em vez de pão, ao povo. Estão pregando doutrinas de homens, e não a Palavra de Deus. Conduzem o povo através de sonhos, visões e revelações, em vez de anunciar-lhe a santa Palavra de Deus. Estão dando um caldo venenoso ao povo de Deus, em vez de alimentá-lo com o pão do céu. Há morte na panela, e não alimento saudável. Há muitas heresias entrando sorrateiramente no arraial evangélico, dissimuladas como doutrinas bíblicas. As multidões são atraídas, o entusiasmo do povo cresce, mas o povo está se alimentando de palha, em vez de pão.

Hoje, muitas pessoas estão famintas de outras coisas, e não famintas de Deus. Estão atrás das bênçãos de Deus, e não do Deus das bênçãos. Querem as bênçãos, e não o abençoador. Querem as dádivas, e não o doador. Querem agradar a si mesmas, e não a Deus. Querem a promoção pessoal, e não a glória de Deus. Buscam saúde e prosperidade, e não santidade. Correm atrás de sucesso, e não de piedade. Têm fome de Mamom, e não de maná.

Outros buscam conhecer a respeito de Deus, mas não conhecem a Deus. São ortodoxos de cabeça, mas hereges de conduta. São zelosos da doutrina, mas relaxados com a vida. São defensores da verdade, mas estão secos como um deserto e duros como uma pedra. Buscam conhecimento, mas não buscam piedade. Têm fome de livro, mas não fome de Deus. Têm luz na mente, mas não fogo no coração. Têm a cabeça cheia de conhecimento, mas o coração vazio de devoção. O resultado é que temos igrejas cheias de pessoas vazias de Deus, e igrejas vazias de pessoas cheias de Deus. Essas pessoas têm fome de muita coisa, mas não do Deus vivo.

Sim, estamos precisando de uma geração que tenha fome de Deus. Pior do que a fome é a inapetência, a falta de apetite. Falta de apetite é doença, e a doença mata mais rápido do que a fome. O salmista disse: "A minha alma tem sede de Deus, do Deus vivo" (Sl 42.2). Os filhos de Coré diziam: "[...] o meu coração e a minha carne exultam pelo Deus vivo" (Sl 84.2). O povo de Deus anda sem apetite espiritual. As coisas de Deus parecem não empolgar mais os filhos de Deus. Eles olham para as coisas de Deus e dizem: que canseira (Ml 1.13)! Eles não têm deleite na Palavra.

Eles não tremem diante da Palavra. Eles não têm pressa para orar. As reuniões de oração estão morrendo nas igrejas. O povo tem tempo para reuniões de planejamento, mas não tem tempo para orar. O povo acha tempo para o lazer, mas não para buscar a face do Senhor. É que falta fome de Deus. É que a nossa alma não está impregnada de Deus nem apegada a Ele. Cantamos que Deus é o amado da nossa alma, mas não conversamos com Ele, não ouvimos a Sua voz nem nos deleitamos nEle. Cantamos porque gostamos de cantar. Celebramos porque isso faz bem a nós mesmos, mas não o fazemos para alegrar o coração de Deus nem para nos deleitarmos nEle. Cultuamos a nós mesmos, em vez de cultuar a Deus.

A fome de Deus é o primeiro passo para um reavivamento espiritual. As pessoas vão à igreja, mas não há nelas expectativas de encontrar a Deus. Elas se acostumam com o sagrado. Elas lidam tanto com as coisas espirituais que perdem a sensibilidade com o sublime. Elas gostam de estar na Casa de Deus, mas não encontram Deus lá. Elas amam a Casa de Deus, mas não conhecem na intimidade o Deus da Casa de Deus.

Ter fome de Deus é considerar as vantagens do mundo como lixo por causa da sublimidade do conhecimento de Cristo. Ter fome de Deus é não se contentar com o farelo, com a palha seca, com o pão embolorado. Você tem fome de Deus? Você tem ansiado por Deus mais do que os guardas pelo romper da manhã? Você tem clamado como Moisés: Oh, Senhor, eu quero ver a tua glória (Êx 33.18)? Você tem clamado como Eliseu: "Peço que me toque por herança porção dobrada do teu espírito" (2Rs 2.9)? Ou será que estamos satisfeitos com a nossa vida como estava a igreja de Laodicéia (Ap 3.17)?

Sim, a maior necessidade da igreja não é de coisas; é de Deus. Não é dos dons de Deus; é de Deus. Não é das bênçãos de Deus; é de Deus. A nossa mais urgente necessidade é da glória de Deus, da manifestação do Senhor todo-poderoso em nosso meio. Precisamos desesperadamente do Pão do Céu!

Quando falta pão na Casa do Pão, as pessoas deixam a Casa do Pão

A fome deixa as pessoas desassossegadas. Ela move e remove as pessoas do seu lugar. Os irmãos de José desceram ao Egito para comprar pão. Os quatros leprosos de Israel arriscaram suas vidas para procurar pão no acampamento do inimigo.

Quando a fome chegou a Belém, Elimeleque, Noemi, Malom e Quiliom abandonaram a cidade do pão. Eles colocaram o pé na estrada da fuga, em vez de escolher o caminho do enfrentamento. Eles saíram movidos pela visão humana, e não guiados pela fé. Como Ló, buscaram segurança, e não a vontade de Deus. Buscaram novos horizontes, e não a direção do céu.

Elimeleque, em vez de buscar a Deus para resolver o problema, fugiu das circunstâncias adversas. Em vez de clamar aos céus por restauração, ele e sua família fugiram da Casa do Pão para as terras de Moabe.

Muitas pessoas deixam a igreja quando falta pão na Casa do Pão. Muitas pessoas vão procurar alimento em seitas heréticas, onde só tem veneno mortífero. Outras rebuscam os farelos do próprio mundo como fez Demas que amou o presente século e abandonou a fé (2Tm 4.10). A solução não é abandonar a Casa do Pão, quando falta pão. O verdadeiro pão só pode vir do céu. Ele não é produzido pelo esforço humano. É dádiva divina. A solução não é fugir à procura de outro pão, mas rogar ao Senhor que nos dê novamente o pão do céu.

Os tempos de restauração nascem da consciência de crise. É quando sentimos nossa falência espiritual que nos prostramos aos pés do Senhor, clamando por restauração. É quando os nossos celeiros estão vazios que somos desafiados a clamar por pão. Quando há sinais de fome em nossas entranhas é que clamamos como o filho pródigo: "Quantos trabalhadores de meu pai têm pão com fartura, e eu aqui morro de fome!" (Lc 15.17). A crise, longe de nos levar para as terras de Moabe e para as campinas do Jordão ou mesmo para as planícies do Egito, deveria nos levar para os joelhos e para uma busca sem trégua de restauração.

Erlo Stegen, em 1966, pregava entre os zulus, na África do Sul. Ele armava uma tenda, e o povo vinha para ouvi-lo. Certo dia, enquanto pregava sobre o poder de Jesus, uma mulher com semblante abatido e cansado aproximou-se dele. Após a mensagem, ela o abordou: "O Senhor está dizendo que o seu Deus tem todo o poder?". Ele respondeu: "Sim, é exatamente o que estou pregando". Ela, então, lhe disse: "Eu estou precisando do seu Deus. Minha filha está horrivelmente endemoninhada. Ela está amarrada num tronco dentro de casa, sangrando como uma ferida enfurecida. Vamos até lá para que a minha filha seja liberta". Naquele momento, Erlo Stegen sentiu um calafrio na espinha. Pensou: *E se essa moça não for liberta, o que será do meu ministério? Como continuarei pregando para esse povo? Como ficará a reputação do evangelho entre os zulus?*

Com esses pensamentos fervilhando em sua cabeça, ele foi até a casa da mulher. Ao chegar, viu um quadro horrível. A moça estava amarrada num tronco com arame, sangrando como um animal ferido. Em vão, o pastor tentou expulsar aquela casta de demônios da moça. Convocou os outros obreiros, mas nada aconteceu. Levaram-na para uma fazenda e por alguns dias oraram, mas ela ficou ainda mais enfurecida. Ao trazeram-na de volta, Erlo Stegen pensou em desistir do ministério entre os zulus e abandonar o campo missionário. Nesse momento, o Espírito de Deus mostrou-lhe que sua necessidade não era abandonar o ministério nem parar de pregar, mas buscar poder do alto.

A partir daquele dia, eles começaram a buscar a Deus com quebrantamento e fervor. Começaram a estudar o livro de Atos, pedindo que Deus fizesse de novo as maravilhas que tinha operado no passado. Nos três meses seguintes, eles se reuniam três vezes por dia, e a única coisa que conseguiam fazer era chorar pelos seus pecados. Deus trouxe sobre eles um profundo quebrantamento. Ao final, o Espírito de Deus foi derramado poderosamente sobre eles e, imediatamente, às dezenas, as pessoas chegavam de todos os lados, confessando seus pecados e buscando a misericórdia de Deus. A moça possessa foi liberta, e maravilhas divinas se multiplicaram naquela região. Tive o privilégio de visitar esse lugar, a Missão Kwa Sizabantu, onde aconteceu esse extraordinário avivamento. Ali foi construído um templo para quinze mil pessoas, com cultos diários, e caravanas de vários lugares do mundo ainda visitam aquela missão para ouvir e ver as maravilhas que Deus operou no meio do Seu povo.

Uma triste constatação

Uma pergunta surge por todos os lados: por que as pessoas deixam a igreja ou não são atraídas a ela? A resposta é: Porque não há pão. O pão era um símbolo da presença de Deus. Havia o pão da proposição, ou seja, o pão da presença (Nm 4.7). O pão indica a presença de Deus. Nada satisfaz as pessoas de forma plena senão Deus. O próprio Deus colocou a eternidade no coração do homem. Você pode ter templos suntuosos, pregadores eruditos, música de qualidade superlativa, mas só Deus satisfaz a alma.

As pessoas estão procurando desesperadamente algum lugar onde encontrar pão, onde saciar sua fome, onde satisfazer suas profundas necessidades. As pessoas estão lotando os bares e se embriagando porque estão vazias, sedentas e famintas. Elas vão para os clubes noturnos, ao som de músicas estridentes, e dançam até o amanhecer porque estão com uma grande fome interior. Elas encharcam suas veias de drogas porque estão com um imenso vazio no coração. Elas buscam os centros espíritas e os terreiros de umbanda e candomblé porque há um buraco na alma delas com fome de Deus. Elas usam cristais no pescoço, buscando entrar em contato com o mundo invisível, porque estão famintas e insatisfeitas. Elas se atropelam em filas nos seminários de auto-ajuda, engolindo irrefletidamente toda a palha que lhes está sendo dada, porque estão ávidas de pão. As multidões estão confusas, dispersas e inquietas como ovelhas sem pastor. Como o pai aflito que rogou aos discípulos de Jesus que libertassem seu filho possesso, mas saiu desiludido pela falta de poder deles, temos visto também uma igreja que tem conhecimento, mas não tem poder. E outras que trombeteiam poder, mas não têm nem conhecimento nem poder. As multidões não estão encontrando pão na Casa do Pão.

Sim, isso deveria envergonhar a igreja. Milhões de pessoas estão procurando pão onde só há veneno, porque há escassez de pão na Casa do Pão. É triste constatar que muitas vezes as pessoas carentes, aflitas e famintas procuram a igreja, mas não encontram nada na despensa, nada além de prateleiras vazias, gavetas cheias de receita de pão, fornos frios e empoeirados.[56] No máximo, escutam lindas histórias de como havia pão com fartura no passado.

Estamos celebrando como Israel as vitórias do passado. Cantamos com ardor o que Deus fez ontem. Mas, quando olhamos para o presente, nossa vida está seca como o deserto do Neguev. É bom relembrar as vitórias do passado, mas nós não podemos morar no passado. Não vivemos apenas de lembranças. Não basta saber que ontem tínhamos pão com fartura. Estamos precisando de pão hoje. Precisamos experimentar a intervenção de Deus todos os dias. As vitórias de ontem não são garantias de vitórias hoje.

Temos anunciado que há pão em nossa Belém. Mas, quando as pessoas vêm até nós, elas não são alimentadas. Quando as pessoas famintas procuram pão, tudo o que fazemos é contar-lhes os grandes feitos que Deus realizou. Falamos sobre o que Ele fez, onde Ele esteve, mas não do que Ele está fazendo hoje em nós e por nosso intermédio. Temos uma memória afiada para relembrar as maravilhas do ontem. Contudo, podemos dizer pouco sobre o que Deus está fazendo em nossas vidas. As pessoas vêm às nossas igrejas, mas elas não vêem a Deus na Sua glória entre nós. Dizemos-lhes Deus está aqui, mas elas não o vêem. Confundimos a onipresença de Deus com a Sua presença manifesta. É impossível Deus se manifestar e as pessoas não O perceberem. Quando Deus se manifesta em Sua glória, ficamos como Jacó: "Quão temível é este lugar! É a Casa de Deus, a porta dos céus" (Gn 28.17).

As pessoas têm vindo à Casa do Pão com freqüência, mas voltam com fome. Quando lhes falamos que temos pão com fartura, elas não acreditam, pois vêem até mesmo muitos crentes sofrendo de inanição. Quando anunciamos a elas que o pão que temos satisfaz eternamente, elas ficam confusas porque olham para os crentes, e eles estão insatisfeitos, confusos e inseguros. Quando elas vêm à igreja buscando o pão que lhes prometemos, chegam à conclusão de que fizemos uma propaganda enganosa. Muitas vezes, falamos que está fluindo sobre nós um rio de vida, mas o que as pessoas vêem é um rio de palavras vazias. Temos palavra, mas não temos vida. Temos doutrina, mas não temos poder. Temos ortodoxia, mas não temos unção. Temos receita de pão, mas não temos pão.

Quando falta pão na Casa do Pão, as pessoas buscam alternativas perigosas

Elimeleque e sua família, ao enfrentarem a crise da fome, fugiram para Moabe. Quando Belém, a Casa do Pão, ficou vazia, aquela família se viu obrigada a procurar pão em outro lugar. O dilema é que Moabe não era um lugar seguro para aquela família; ao contrário, um lugar de sofrimento, doença, pobreza e morte. As alternativas do mundo podem nos jogar na cova da morte.

Quando a crise chega, quando há falta de pão na Casa do Pão, a solução não é abandonar a igreja, buscar novos rumos, novas teologias, novas experiências e novos modismos. Nessas horas, o que a igreja precisa fazer é se humilhar diante de Deus. O que ela precisa é buscar o Pão Vivo do céu, Jesus.

Elimeleque e seus filhos Malom e Quiliom morreram em Moabe. Eles perderam a vida buscando a sobrevivência. Eles encontraram a morte, em vez de segurança. Eles encontraram a sepultura, em vez de um lar. Eles, no afã de evitarem a fome em Belém, encontraram a morte em Moabe. Onde eles pensaram que preservariam a vida, a perderam.

A segurança de Moabe é falsa. A fartura de Moabe é enganosa. Moabe significou para Noemi doença, pobreza e viuvez. Moabe significou para Noemi a perda dos seus dois filhos. Moabe é um símbolo do mundo e de sua aparente segurança. Moabe levará os seus filhos e os enterrará antes do tempo. Moabe separará você do seu cônjuge. Moabe tirará a sua alegria e encherá o seu coração de amargura. O preço cobrado em Moabe é muito alto: lá as pessoas pagam com seus casamentos, seus filhos e suas próprias vidas.[57] Na verdade, Noemi partiu cheia de esperança e voltou pobre, vazia, amargurada e ferida (1.20,21).

Quando volta a ter pão na Casa do Pão, as pessoas correm para a Casa do Pão

Há um rumor que chega até Moabe: "Então, se dispôs ela com as suas noras e voltou da terra de Moabe, porquanto, nesta, ouviu que o Senhor se lembrara do seu povo, dando-lhe pão" (1.6). Noemi volta porque ouviu falar que havia pão em Belém. Há um murmúrio que percorre as nossas cidades, ruas e becos; é o murmúrio dos famintos. Se somente um deles ouvisse um boato de que o Pão está de volta à Casa do Pão, a notícia logo se espalharia com grande intensidade, e as multidões seriam atraídas irresistivelmente à Casa do Pão. Os famintos viriam e constatariam que a propaganda não é enganosa. Elas diriam: não é uma farsa. É verdade, realmente existe pão com fartura, podemos matar a nossa fome. Deus está na igreja. A glória de Deus resplandece na igreja. O Pão do Céu é oferecido gratuitamente na igreja!

Sim, como necessitamos do Pão do Céu em Belém! Sim, como necessitamos da gloriosa presença de Deus em nossas igrejas! Tão logo as pessoas saibam que Deus está na igreja, elas virão de todos os lados. Tudo o que precisamos é da presença de Deus, é da glória de Deus sobre nós, é de pão com fartura para os famintos.

A história dos avivamentos nos mostra essa gloriosa verdade. Quando Deus visita o Seu povo, as multidões são atraídas à igreja. Os corações se rendem a Jesus, e a igreja se levanta no poder do Espírito Santo para alimentar os famintos com o Pão do Céu. Não precisamos nos contentar com migalhas. Não precisamos viver de farelos. Não precisamos nos alimentar das migalhas que caem da mesa. O Senhor nos oferece um banquete, fornadas de pão quente preparado nos fornos do céu.

Quando há pão na Casa do Pão, as pessoas nos acompanharão à Casa do Pão

Rute acompanhou Noemi a Belém (1.16-19,22). Da mesma maneira que Rute, uma gentia, acompanhou Noemi à Casa do Pão, também as multidões famintas nos acompanharão à Casa de Deus quando souberem que Deus nos visitou com abundância de pão. As pessoas virão à igreja quando provarem o pão da presença de Deus.

Rute encontrou pão em Belém. Ela saiu de Moabe, lugar de morte, e encontrou a vida e um futuro glorioso em Belém. Ela tornou-se avó de Davi, um símbolo do Rei messiânico. Davi nasceu em Belém, a Casa do Pão. Mas Rute também foi um membro da genealogia de Jesus. Jesus também nasceu em Belém. Ele é o Pão da Vida (Jo 6.35,48). O Pão da Vida nasceu na Casa do Pão. Agora temos o Pão do Céu na Casa do Pão. A todos os que têm fome, Ele diz:

"Este é o pão que desce do céu, para que todo o que dele comer não pereça. Eu sou o pão vivo que desceu do céu; se alguém dele comer, viverá eternamente" (Jo 6.50,51).

Quando tem pão na Casa do Pão, os pródigos voltam à igreja. Noemi voltou para Belém. A igreja ficará cheia quando as pessoas souberem que lá encontrarão pão com fartura. Quando Deus visita o Seu povo com Pão na Casa do Pão, os cultos tornam-se cheios de vida. Há sincera e abundante adoração. As músicas tornam-se cheias de alegria, as orações cheias de fervor, e os crentes cheios do Espírito.

Que a fome de Deus seja o sinal distintivo da nossa vida. Que a nossa fome de Deus seja maior do que a nossa fome pelas bênçãos de Deus. Um pastor na Etiópia estava pregando quando homens do governo comunista o interromperam, dizendo: Estamos aqui para acabar com esta igreja. De-pois de severas ameaças, agarraram a filha do pastor de 3 anos de idade e a arremessaram pela janela do templo à vista de todos os fiéis. Os comunistas pensaram que essa violência acabaria com a igreja, mas a esposa do pastor desceu, colocou sua filhinha morta nos braços e retornou ao seu lugar na primeira fila, e a adoração continuou. Como conseqüência da fidelidade desse humilde pastor, quatrocentos mil crentes fiéis, destemidamente, compareceram a suas conferências bíblicas na Etiópia.

Um pastor americano, encontrando-se com esse pastor, disse-lhe: "Irmão, nós temos orado por vocês, por causa da sua pobreza". Esse humilde homem voltou-se para o pastor americano e disse: "Não, você não compreende. Nós é que temos orado por vocês, por causa de sua prosperidade".[58] Que a nossa fome de Deus seja maior do que a nossa fome por prosperidade e conforto!

Os pródigos não voltarão sozinhos à Casa do Pão
Rute voltou com Noemi. Noemi voltou e trouxe Rute. Semelhantemente, quando a igreja é restaurada, não somente os que saíram dela voltam, mas trazem outras pessoas. Quando o Espírito de Deus é derramado, os descendentes de Jacó brotam como os salgueiros junto à corrente das águas (Is 44.4). Precisamos fazer como os quatro leprosos de Samaria ao encontrarem pão: "Não fazemos bem; este dia é dia de boas-novas, e nós nos calamos" (2Rs 7.9). Precisamos sair pelas ruas da cidade, pelas praças e becos dizendo que tem pão na Casa do Pão.

Se Deus realmente se manifestar com poder na igreja, o rumor dos famintos se espalhará no campo e na cidade. Antes de podermos abrir as portas, os famintos já estarão na fila esperando o pão. E, quando os pródigos voltarem, não voltarão sozinhos, os gentios que habitavam em Moabe voltarão com eles.

Notas do capítulo 3

[55] Larson, Gary N. *The new Unger's Bible hand-book*. Chicago, Illinois. Moody-Press, 1984: p. 140.
[56] Tenney, Tommy. *Os caçadores de Deus*. Belo Horizonte, MG. Editora Dynamus, 2000: p. 34.
[57] Tenney, Tommy. *Os caçadores de Deus*, 2000: p. 36.
[58] Tenney, Tommy. *Os caçadores de Deus*, 2000: p. 46.

Capítulo 4

Casualidade ou providência?
(Rt 2.1-23)

O CAPÍTULO DOIS DO livro de Rute é a história de um dia na vida de Rute que transforma a tragédia de um passado doloroso e abre largas avenidas para um futuro glorioso.

David Atkinson diz que o dia da vida de Rute contido nesse capítulo é o dia em que ela vem a conhecer Boaz. No final do dia, depois do trabalho, ela conta a Noemi o que aconteceu. Só então, ela percebe o verdadeiro significado do seu encontro (2.20). Até então, Rute não percebera que o encontro não fora coincidência, mas parte do soberano propósito de Deus.[59] O que para Rute foi uma mera coincidência em um conjunto de circunstâncias não planejadas, foi parte do cuidado gracioso de Deus.⁶⁰ Não foi a sorte que conduziu Rute aos campos de Boaz, mas uma agenda traçada no céu.⁶¹ Destacamos três verdades à guisa de introdução:

Em primeiro lugar, *a agenda de Deus prevalece sobre os planos humanos*. A mensagem central desse capítulo é que a casualidade humana tem como pano de fundo a providência divina. Por trás dos aparentes acasos dos encontros comuns do dia-a-dia, Deus expressa o Seu cuidado e a Sua determinação providencial, a graça da Sua aliança.⁶² Os passos de Rute foram guiados pelo Senhor. "[...] estando no caminho, o Senhor me guiou" (Gn 24.27). Deus é quem ordena os acontecimentos. Na verdade, como dizia Francis Schaeffer, a vida é composta de dois andares. No andar debaixo, pensamos que as coisas acontecem por casualidade, mas, no andar de cima, temos a garantia de que as mãos de Deus dirigem nosso destino. As casualidades humanas são na verdade providências divinas.

Abraham Kuyper foi primeiro-ministro da Holanda no começo do século 20. Ele também era professor de teologia, jornalista, escritor e apaixonado pela arte. Ele fundou a Universidade Livre de Amsterdã, em 1880, e na sua conferência inaugural incluiu estas famosas palavras: "Não há uma polegada em toda a área da existência humana que Cristo, o soberano de tudo, não reivindique como sendo Sua".⁶³ David Atkinson diz que este é o mundo de Deus, e até mesmo nossa "sorte" ou "casualidade" faz parte de Sua providência dominante.⁶⁴

Em segundo lugar, *uma história inteira de dor pode ser transformada num só dia*. A dramática história de duas viúvas pobres é transformada em apenas um dia. Um fato novo surgiu, e a página da dor foi virada para sempre. Deus está com as rédeas da História em Suas mãos e Ele pode intervir na sua vida e transformar tragédias em triunfo. Em apenas um dia, todo um passado de dor pode se converter num lindo episódio de graça e amor.

Warren Wiersbe diz que a história de Rute começa com a morte do marido, mas termina com o nascimento de um bebê. Suas lágrimas foram transformadas em vitória.[65] Uma maneira de sintetizar o livro de Rute é apresentá-lo como a história de uma família que recomeçou das cinzas, de alguém que acreditou na possibilidade de reconstruir e de retomar a vida.[66]

Em terceiro lugar, *o mistério do pobre deve ser o ministério do rico*. Leon Morris diz que esse capítulo nos dá também uma visão da vida dos pobres na antiga Palestina. Não havia muitas maneiras de uma viúva ganhar a vida; contudo, uma delas era o costume de respigar. Havia provisão, na lei, para que na época da colheita o fazendeiro não colhesse os cantos da propriedade, nem apanhasse aquilo que caísse no solo, à passagem dos ceifeiros (Lv 19.9; 23.22). De fato, se ele esquecesse um molho no campo, estava proibido de voltar para apanhá-lo (Dt 24.19). Essas provisões eram feitas com vistas aos pobres.[67] A Bíblia diz que os ricos devem ser generosos no repartir. Os bens não são dados para serem acumulados, mas para serem repartidos. A semente que se multiplica não é a que comemos, mas a que semeamos. Quando abrimos a mão para repartir com generosidade, Deus multiplica a nossa sementeira, pois a alma generosa prosperará.

Vejamos como Deus teceu as circunstâncias e como Ele agiu na vida dos três principais protagonistas dessa saga: Boaz, Rute e Noemi.

Boaz, um retrato do amor gracioso de Deus

Três verdades devem ser destacadas sobre Boaz:

Em primeiro lugar, *Boaz foi um rico remidor* (2.1). Boaz era parente de Noemi e um homem rico. Ele era um homem íntegro, influente e grande fazendeiro. Seu nome significa "nele há força". Ele podia cumprir os requisitos legais de casar-se com Rute, no regime do levirato, e suscitar descendência à família de Elimeleque. Daí foi que surgiram tanto Davi, o rei, quanto o Rei dos reis, o Messias. Desta forma, Rute entrou tanto na linhagem real quanto na linhagem divina.[68]

Boaz é um tipo de Cristo, o Redentor. Rute, por sua vez, é um tipo da Igreja, a redimida. O Filho de Deus é o Redentor não apenas de uma família pobre, mas de todos os pecadores que confiam na Sua graça. Ele é o rico remidor que se fez pobre para nos fazer ricos e herdeiros das Suas insondáveis riquezas (2Co 8.9).

William MacDonald diz que em Boaz vemos ilustradas muitas das excelências de Cristo. Boaz era um homem de muitas riquezas (2.1). Ele era compassivo com os estrangeiros que não tinham nada a reivindicar a seu favor (2.8,9). Ele sabia tudo sobre Rute antes de ela encontrar-se com ele (2.11). Ele serviu Rute graciosamente, e todas as suas necessidades foram supridas (2.14). Ele garantiu a Rute proteção para o presente e prosperidade para o futuro (2.15,16). Nesses atos de graça, temos uma antevisão do nosso bendito Redentor.[69]

O livro de Rute aponta a gloriosa verdade de que Deus é o nosso remidor. Moisés assim descreve esse glorioso fato: "Portanto, dize aos filhos de Israel: eu sou o Senhor, e vos tirarei de debaixo das cargas do Egito, e vos livrarei da sua servidão, e vos resgatarei com braço estendido e com grandes manifestações de julgamento" (Êx 6.6). G. J. Wenham diz que a especial contribuição do livro de Rute é que o parente resgatador era o único que podia resgatar, mas não tinha a obrigação de fazê-lo. A prontidão de Boaz em resgatar a propriedade de Noemi e casar-se com Rute aponta para o maior Redentor, que, por sua vez, foi seu descendente.[70]

Em segundo lugar, *Boaz foi um homem de Deus* (2.4). John Peter Lange diz que um verdadeiro crente é também o melhor patrão. Uma fé viva em Deus é o melhor vínculo entre patrão e empregado, prevenindo o uso indevido de autoridade de um lado e a pretensiosa insubordinação do outro lado.[71]

Boaz é um abençoador. Ele transforma as coisas comuns da vida em liturgia de adoração a Deus. Ele faz do seu trabalho um tributo de glória ao Senhor. Ele trafega do altar ao campo com a mesma devoção. Ele não dicotomiza a vida entre secular e sagrado. Para ele, tudo é sagrado. Ele se dirige a seus empregados com devoção. Por onde passa, Boaz deixa as marcas de sua benfazeja influência. As pessoas se tornam melhores por se relacionarem com ele. O relacionamento de Boaz com os homens revela o seu íntimo relacionamento com Deus. A maneira de ele tratar seus empregados dava abundantes provas de que ele era um homem pleno de Deus.

Leon Morris diz que Boaz era do tipo de homem que acredita que a fé religiosa deve fazer parte do trabalho diário.[72] Nessa mesma linha de pensamento, David Atkinson diz que não há no Antigo Testamento separação entre o "sagrado" e o "secular": o todo da vida é vivido "diante da face de Deus".[73] Você conhece um homem de Deus não pela alta posição que ele ocupa nem pelos cargos eclesiásticos que exerce, mas pela forma em que trata seus subordinados. A gentileza com que Boaz tratava seus trabalhadores falava mais de seu relacionamento com Deus do que todas as suas práticas religiosas.

Em terceiro lugar, *Boaz foi um homem de qualidades muito especiais* (2.8-16). Destacamos seis pontos importantes sobre Boaz:

Boaz é um homem que oferece graça (2.8,10). Quando Rute saiu naquela manhã para respigar nos campos, estava procurando alguém que lhe mostrasse graça (2.2,10,13). A graça é o favor concedido a alguém que não o merece e que não tem como obtê-lo por seu esforço. Como mulher, viúva pobre e estrangeira, Rute não poderia reivindicar coisa alguma a quem quer que fosse. O canal dessa graça foi Boaz. Graça significa que Deus dá o primeiro passo a fim de nos socorrer, não porque mereçamos, mas porque Ele nos ama e nos quer para si. "Nós amamos porque ele nos amou primeiro" (1Jo 4.19). A salvação não foi algo que Deus improvisou, mas, sim, aquilo que planejou desde a eternidade.[74]

Boaz tratou Rute com especial cuidado. Deu-lhe ordem para ficar em seu campo e não ir além em busca de provisão. Rute reconheceu que o gesto de Boaz era um ato de graça, uma vez que ela era uma viúva pobre e também estrangeira. Graça é favor imerecido. Graça é receber tudo quando não se tem nada para dar em troca. Graça é o amor que paga o preço para ajudar alguém que não merece. Nesse sentido, Boaz retrata Cristo em Seu relacionamento com Sua noiva, a Igreja.

Boaz é um homem que oferece provisão (2.9). Ele não apenas permite que Rute recolha em seu campo, mas oferece a ela a mesma provisão dada aos trabalhadores. Ela passa a ter liberdade de beber da sua água e desfrutar a companhia das suas servas. Jesus partilhou conosco as riquezas de Sua misericórdia e do amor (Ef 2.4), as riquezas da Sua graça (Ef 2.7), as riquezas da Sua sabedoria e de seu conhecimento (Rm 11.33), as riquezas da Sua glória (Fp 4.19) e, além de tudo isso, Suas insondáveis riquezas (Ef 3.8). Nós, "estrangeiros" indignos, somos membros da família de Deus e temos toda a Sua herança à nossa disposição.[75]

Boaz é um homem que oferece proteção (2.9). Boaz toma medidas para proteger Rute de abordagens constrangedoras e inconvenientes dos segadores. Ela estava sob seus cuidados e proteção. Ninguém podia tocar em Rute. Assim também, Deus é o nosso protetor. Ele é o nosso escudo e o nosso defensor. Somos a menina-dos-olhos de Deus, Sua propriedade exclusiva. Ele nos cerca por todos os lados e nos protege de todo o mal.

Boaz é um homem que oferece consolação (2.13). Rute reconhece o tratamento amoroso de Boaz. Ele demonstrou graça a ela, dando-lhe conforto e falando-lhe ao coração. Rute não tinha necessidade apenas de pão, mas também de significado. Na verdade, ela estava mais carente de consolo do que de alimento. Boaz abriu-lhe não apenas as portas da provisão, mas, sobretudo, os celeiros do seu coração e a abundância do seu amor.

Warren Wiersbe diz que Rute não olhou para trás, para seu passado trágico, nem olhou para si mesma, pensando sobre sua triste situação. Lançou-se aos pés do senhor e sujeitou-se a ele. Afastou o olhar de sua pobreza e o voltou para as riquezas dele. Esqueceu seus medos e descansou nas promessas dele. Que excelente exemplo a ser seguido pelo povo de Deus![76]

Boaz é um homem que oferece comunhão (2.14). Agora, Rute é convidada para assentar-se à mesa com Boaz, para comer pão com ele e molhar o seu bocado no vinho. Isso é um gesto de profunda intimidade e comunhão.[77] Assentar-se à mesa e comer pão é uma expressão de amizade, intimidade e comunhão. Foi esse o gesto que marcou a celebração da Ceia do Senhor no cenáculo com Seus discípulos. Hoje temos livre acesso à presença do Pai por meio de Jesus. O véu do templo foi rasgado, e podemos, então, entrar na sala do trono pelo novo e vivo caminho. Agora, temos plena comunhão com aquele que nos amou e se entregou por nós.

Boaz é um homem que transcende em seus atos de bondade (2.15,16). Ele não somente ofereceu a Rute seu campo, sua proteção, sua provisão, sua companhia, sua consolação, mas também deu ordens a seus trabalhadores que deixassem porções especiais para Rute recolher. Ele foi além do esperado, além do exigido pela lei. Boaz foi um homem que excedeu em sua generosidade. Assim também Deus nos trata. Ele é o Deus de toda a graça, de toda a consolação. Suas bênçãos são incontáveis, Seu amor incomensurável, Suas misericórdias não têm fim.

Rute, uma mulher que busca abrigo sob as asas de Deus

Destacamos seis importantes verdades acerca de Rute:

Em primeiro lugar, *Rute, uma mulher que tem iniciativa* (2.2). Rute demonstrou disposição de trabalhar e buscar o seu sustento e o sustento da sua sogra. Ela não ficou esperando, de braços cruzados, um milagre acontecer. Ela se moveu, se mexeu na direção do trabalho. Ela assumiu sem traumas que era carente e necessitada. Rute teve iniciativa para cuidar de sua sogra. Ela assumiu a posição de provedora da sogra. Ricardo Gondim, em seu comentário sobre o livro de Rute, diz:

> Para vencer na vida não é necessário derrotar o inevitável; basta não permitir que o inevitável o derrote. Assim, Rute tomou iniciativa, crendo que as forças inevitáveis da vida não a sufocariam. Sua ação espontânea é o princípio da sua mudança de sorte.[78]

A palavra "fé" é um substantivo, mas deve ser compreendida como um verbo, porque fé não é só boa concepção espiritual. Fé é acima de tudo ação. Isso tem a ver com seu trabalho, seus estudos, sua família e sua vida espiritual. Não cruze os braços, não coma o pão da preguiça. Procure ajuda! Vá atrás de outro emprego! Converse com sua mulher! Dialogue com seus filhos! Faça algo, mas não se acomode. A iniciativa pode fazer da fé um verbo, e não apenas um substantivo.[79]

John Peter Lange diz que Rute manifestou sua fé em Deus não apenas com palavras: ela testemunhou seu amor também por meio das obras. Ela se dispôs a trabalhar por Noemi, e não apenas a viver com ela. Rute não apenas aprendeu a orar a Deus com Noemi, mas se dispôs a rogar aos homens por ela. O que Rute nunca tinha feito em Moabe, ela se dispôs a fazer em Belém, e isso de forma voluntária.[80]

Em segundo lugar, *Rute, uma mulher que não tem medo de correr riscos* (2.2b). Rute é uma mulher determinada e disposta a enfrentar riscos e desafios. Ela disse: "[...] apanharei espigas, atrás daquele em cujos olhos eu achar graça" (2.2b). Havia na lei de Moisés provisão para os pobres e as viúvas. Os fazendeiros não podiam colher as bordas dos campos. Eles deviam deixar essas áreas para os pobres respigar. Contudo, no tempo dos juízes, nem todos eram bem-vindos para colher ou respigar. Rute, porém, não ficou cogitando a possibilidade de ser rejeitada. Ela não aceitou a decretação da derrota antecipadamente. Ela não capitulou ao desânimo de antemão. Mesmo sendo pobre e estrangeira, ela saiu à luta, correu riscos e não teve medo de fracassar. Napoleão Bonaparte dizia que a vitória sem luta não tem glória.

O exemplo de Rute nos ensina que o enfrentamento das crises, e não a fuga delas, é o caminho da vitória. Os tímidos, os medrosos e os preguiçosos sempre darão desculpas para os seus fracassos. Entretanto, os vencedores jamais retrocedem diante das adversidades. Eles estão sempre prontos a correr grandes riscos para alcançar as maiores vitórias.

As leis socioeconômicas do país deveriam expressar uma preocupação com os pobres, pois a terra pertence ao Deus da aliança, e o seu padrão de vida deveria refletir a natureza dEle. A preocupação com a justa distribuição dos recursos da terra é uma ordenança divina.[81] Os reformadores falavam acerca do mistério do pobre e do ministério do rico. A riqueza não é para ser acumulada, mas distribuída. Aqueles que têm, precisam repartir com os que não têm. Hoje, a riqueza se concentra nas mãos de poucos. Há uma injusta e perversa distribuição de renda no mundo. Uns morrem de fome, outros morrem de comer. Atualmente, há empresas mais ricas do que alguns países. A Toyota é mais rica do que a Dinamarca. A Ford é mais rica do que a África do Sul. A GM é mais rica do que a Noruega. O Wal Mart é mais rico do que 161 países. Somos a geração da gastança em coisas supérfluas. Na década de 1950, gastávamos cinco vezes menos que gastamos hoje. Na década de 1970, cerca de 70% das famílias dependiam apenas de uma renda para o seu sustento. Hoje, mais de 70% das famílias dependem de duas rendas para manter o mesmo padrão. O luxo do ontem se tornou necessidade imperativa do hoje. Gastamos com banalidades e deixamos de socorrer os necessitados à nossa volta. À semelhança do sacerdote e do levita, passamos ao largo; não queremos nos comprometer.

Em terceiro lugar, *Rute, uma mulher humilde* (2.7). Embora o respingar fosse um direito concedido de modo especial às viúvas (Dt 24.19), Rute pede, não exige. Ela não reivindica direitos; suplica favor. Ela é humilde. Quando a providência a fez pobre, ela não sentiu vergonha de assumir o papel de uma mulher em situação difícil, que precisou rebuscar em campo alheio como uma pobre necessitada.[82] Não devemos nos envergonhar de qualquer trabalho honesto.

Li o relato de um engenheiro que estava desempregado. Ele leu num jornal que uma importante empresa da sua cidade tinha aberto algumas vagas na área de engenharia. Prontamente, ele se dirigiu àquela empresa em busca de trabalho para sustentar sua família. Ao entregar seu currículo ao atendente, este lhe disse: "Sinto muito, as vagas na área de engenharia acabaram. Agora nós só temos algumas vagas para motorista". O engenheiro abaixou a cabeça e saiu abatido para o pátio da empresa. De repente, ele arrancou a gravata, arregaçou as mangas da camisa e voltou ao escritório da empresa. Colocou sua carteira de motorista sobre a mesa e disse: "Eu sou motorista e gostaria de ter a oportunidade de trabalhar como motorista da empresa". O presidente da empresa ouviu essa conversa e o chamou a seu escritório, dizendo-lhe: "É de gente como você que a nossa empresa precisa. Vou contratá-lo como engenheiro". Aquele profissional tornou-se proeminente na empresa, chegando a ser um dos seus diretores.

Rute era como a mulher de Tiro e Sidom, que disse a Jesus que os cachorrinhos comem das migalhas que caem da mesa de seu senhor. A humildade promove as pessoas. A humildade abre portas diante dos homens e nos traz vitória da parte de Deus. A Bíblia diz que Deus resiste aos soberbos, mas exalta os humildes.

Em quarto lugar, *Rute, uma mulher que tem equilíbrio em seu trabalho* (2.7b). Rute trabalha de manhã até a tarde. Ela é industriosa, não come o pão da preguiça. Ela não é uma peça de porcelana; ela tem coragem, tem disposição e tem mãos adestradas para o trabalho. O trabalho dignifica. Todo trabalho honrado e honesto engrandece o ser humano e é um ato litúrgico que agrada a Deus.

Rute, porém, sabe dosar trabalho com descanso. Ela exerce uma correta mordomia do corpo e do tempo. Trabalho sem descanso é insensatez; descanso sem trabalho é irresponsabilidade. Vivemos hoje a tirania do relógio. Vivemos a paranóia de dois e até três turnos de trabalho. O mercado consumista é guloso, e a economia global quer mais do seu dinheiro e mais do seu tempo. Não importa se você não tem tempo para Deus, para a sua família ou mesmo para você, desde que esteja fazendo essa monstruosa máquina da economia global girar. Precisamos saber que a piedade com contentamento é grande fonte de lucro, mas aqueles que querem ficar ricos caem em muitas ciladas e em grandes aflições. O dinheiro é o grande deus do mundo e deste século. O dinheiro é o maior senhor de escravos da sociedade contemporânea. As pessoas perdem completamente o senso de valores por causa da ganância. Rute nos ensina que é possível trabalhar com afinco sem descuidar do descanso necessário.

Em quinto lugar, *Rute, uma mulher que sabe expressar gratidão* (2.10,13). Rute é humilde o bastante para se curvar diante de Boaz e reconhecer que o seu tratamento generoso é um ato de graça. Ela sabe que o favor recebido é expressão de graça, e não de mérito. Ela tem consciência de que é estrangeira, pobre e viúva. Contudo, ao buscar abrigo sob as asas de Deus, encontrou provisão abundante, proteção constante e comunhão edificante.

Rute se considerou dependente da graça de Deus. Ela abraçou a fé em Deus. Boaz sabia que ela desistira de sua família e amigos, de sua religião e da companhia de seus compatrícios para ficar com Noemi. Boaz sabia que Rute, como Abraão, deixara a casa de seu pai e a sua parentela para ir a outra terra, não sabendo o que lhe reservava o futuro. E ele sabia que isso era uma prova da profundeza da fé recém-descoberta de Rute em Iavé (2.12), uma fé que se expressava em amor.[83]

Vale ressaltar que não havia qualquer discriminação racial em Israel. A proibição, por exemplo, sobre casamentos mistos não era uma preocupação com raça, mas com religião. Os casamentos com mulheres estrangeiras foram proibidos "[...] pois elas fariam desviar teus filhos de mim, para que servissem a outros deuses" (Dt 7.4). A proibição não era de casamento inter-racial, mas, sim, uma forte proibição de casamento inter-religioso. Isso acaba com qualquer tentativa de defender a segregação racial e a discriminação com base em um suposto princípio bíblico de "pureza racial". Embora Rute se entendesse como uma "estrangeira", Boaz a recebe como membro da família de Iavé, sob cujas asas ela "veio buscar refúgio".[84]

A vida de Rute nos ensina sobre a misericordiosa providência de Deus. Não há mérito em nós, mas todos aqueles que buscam refúgio sob as asas do Onipotente encontram salvação. A mensagem central do evangelho mostra que todos os que se humilham e buscam refúgio encontram ampla provisão, forte proteção e rica comunhão sob as asas do Onipotente.

Em sexto lugar, *Rute, uma mulher que recebeu recompensa pelo investimento que fez em sua sogra* (2.11,12). As virtudes de Rute são destacadas pelos trabalhadores de Boaz (2.7) e também pelo próprio Boaz (2.11). A fama de Rute chegou na sua frente. As virtudes de Rute precederam sua chegada a Belém.

O bem que você faz aos outros volta para você mesmo. O que você semeia, você colhe. O casamento de Rute com Boaz em Belém foi pavimentado pelo que Rute fez com Noemi em Moabe. A lei da semeadura e da colheita é uma lei universal que se aplica a todos, em todos os tempos e em todos os lugares. Quem planta mentira, colhe traição; quem planta verdade, colhe lealdade. Quem planta ciúmes, colhe suspeita; quem planta confiança, colhe descanso. Quem planta inveja, colhe mediocridade; quem planta admiração, colhe grandeza. Quem planta amizade, colhe compromisso; quem planta contenda, colhe solidão. Quem planta ódio, colhe amargura; quem planta amor, colhe ternura.[85]

A Bíblia diz que quem semeia com lágrimas, com júbilo voltará trazendo os seus feixes (Sl 126.5,6). Quem semeia com fartura, com abundância ceifará (2Co 9.6). Precisamos aprender a semear na vida dos outros. Precisamos ser generosos em nossas ações, pródigos em nossos elogios e transcendentes em nossas reações. Precisamos abençoar, em vez de maldizer; perdoar, em vez de agasalhar no peito a mágoa; exercer misericórdia, em vez de esmagar aqueles que já estão feridos como cana quebrada.

Rute deu da sua pobreza à sua sogra. Ela semeou do pouco que tinha na vida da sua sogra, e Deus multiplicou a sua sementeira. Você nunca é tão pobre que não possa semear na vida das outras pessoas. A alma generosa prosperará. Quanto mais você dá, mais você tem para dar. Quando você retém mais do que é justo, isso é pura perda. Quando você acumula mais do que pode usar, seus tesouros são entregues à traça e à ferrugem.

Noemi, uma mulher disposta a mudar suas atitudes

Dois fatos são dignos de observação sobre a atitude de Noemi:

Em primeiro lugar, *Noemi, uma mulher que deixa de murmurar para exaltar a Deus* (2.19). Noemi viveu um tempo de sua vida amargurada contra Deus. Ela atribuiu a Deus todo o seu infortúnio (1.13; 1.20,21). Pela primeira vez, ela abre a boca para bendizer. Ela bendiz a Boaz e a Deus. Seu pessimismo doentio é curado ao ver a doce providência divina sorrindo de volta para ela.

Warren Wiersbe comenta que a última vez que vimos Noemi, ela estava dividindo sua amargura com as mulheres de Belém e culpando Deus por sua infelicidade e pobreza (1.20,21). Quando Rute pediu permissão para respigar nos campos, Noemi apenas disse: "Vai, minha filha!" (2.2). Não deu à nora palavra alguma de ânimo, nem mesmo prometeu orar por ela. Agora, ouvimos uma palavra nova dos lábios de Noemi: "Bendito" (2.19,20). Ela não apenas abençoou o benfeitor de Rute como também bendisse ao Senhor! Passou da condição de amargurada para a condição de abençoadora. Que grande mudança no coração dessa viúva aflita! Isso aconteceu em decorrência de uma nova esperança. A esperança de Noemi era decorrente de quem Boaz era, do que Boaz fez e do que Boaz falou.[86]

Shaddai, o Deus todo-suficiente, que antes parecia tê-las abandonado (os três homens da família morreram [1.3-5]), agora sorria para elas. Por trás da providência carrancuda, agora aparecia a face sorridente de Deus. A volta de Rute à casa onde estava Noemi deu fim ao vazio que esta sentia, enchendo a idosa mulher com expectativa, senso de agradecimento e esperança. O espírito de Noemi reviveu diante do sucesso de Rute; e ela bendisse a Boaz (2.19) e ao Senhor (2.20).[87]

Precisamos tirar os olhos das circunstâncias e colocá-los no Senhor. Precisamos parar de lamentar e começar a bendizer. Precisamos olhar para a vida na perspectiva de Deus.

Em segundo lugar, *Noemi, uma mulher que tem discernimento espiritual* (2.20). Noemi vê em Boaz não apenas um homem generoso, mas o parente remidor da família. Ela discerne que o futuro da sua família está nas mãos desse homem rico e gracioso. Ela abre os olhos de Rute para um novo futuro e novas possibilidades. Noemi explicou a Rute a lei acerca do parente resgatador (*veja* Lv 25.47-55). A segurança de Noemi não se baseou apenas na bondade e no amor que Boaz demonstrou por Rute. Foi o princípio da redenção que Deus havia escrito em Sua Palavra que deu a Noemi a certeza de que Boaz as resgataria.

Dois termos são fundamentais para o entendimento dessa linda história: *levir* e *goel*. Boaz foi tanto o *levir* quanto o *goel* de Rute e Noemi.

O que significa o termo levir? Levir é uma palavra latina que traduz o hebraico "cunhado". O levirato regulava os costumes referentes ao casamento quando o homem da casa morria. Se um homem morria sem deixar filhos, o "nome" do morto era perpetuado por intermédio do casamento da viúva com outro homem (o irmão do morto, ou parente mais próximo) e por meio dos filhos que ela tivesse com ele "para" o morto (Dt 25.5-10). Na história de Rute, os deveres do levirato passavam para o parente mais próximo.[88] De acordo com uma tradição rabínica, Boaz era sobrinho de Elimeleque.[89] Por essa razão, ele podia ser legalmente o marido de Rute e suscitar um legítimo descendente para perpetuar a descendência de Malom.

O que significa o termo *goel*? *Goel* era o protetor, o parente mais próximo cujo dever era agir como "remidor" da propriedade (Lv 25.25-28) e da pessoa (Lv 25.47-49). Um israelita empobrecido que se vendia como escravo devia ser remido pelo *goel* (Lv 25.55).[90] Boaz foi o remidor de Noemi e Rute. Ele resgatou a propriedade que era de Noemi e devolveu a ela o que dantes ela possuíra. De forma muito mais profunda, Deus nos remiu, nos comprou por um alto preço e nos deu Sua gloriosa herança. Éramos escravos do pecado, mas fomos libertos, remidos e feitos herdeiros de Deus.

Lições práticas extraídas para a vida

Destacamos cinco lições práticas do estudo deste texto:

Em primeiro lugar, *as casualidades humanas são na verdade providências divinas* (2.1-3). Walter Baxendale, citando Robert McCheyne, diz: "Se nós pudéssemos ver o fim como Deus o vê, nós poderíamos ver que todo acontecimento visa ao bem dos filhos de Deus".[91] Leon Morris diz que a expressão "por casualidade" ou "caiu-lhe em sorte" é a tradução de uma expressão que deixa bem claro que Rute não havia compreendido o significado total daquilo que ela estava fazendo. Ela não conhecia as pessoas, nem os proprietários da terra. Ela foi ao campo e, aparentemente por acaso, trabalhou numa porção particular do campo, que pertencia a Boaz. Esse fato salienta a verdade que os homens não controlam os acontecimentos, mas que a mão de Deus está por detrás deles, enquanto promove os Seus propósitos. Ela chegou a esse campo, e não a outro, e esse fato a levou ao conhecimento de Boaz e subseqüente casamento com ele; e tudo quanto esteve envolvido, inclusive o fato de isso levar ao nascimento de Davi, fazia parte desses propósitos divinos.[92] Na verdade, a mão de Deus é quem conduziu toda a ação de Rute.

A Bíblia diz que todas as coisas cooperam para o bem daqueles que amam a Deus (Rm 8.28). Isso não é uma hipótese ou mera possibilidade, mas um fato real. As coisas não se acertam por simples coincidência. Elas não se alinham por uma influência dos astros. Elas não se encaixam por um determinismo cego. Deus é quem tece as circunstâncias da nossa vida, até mesmo aquelas mais amargas para o nosso bem.

Obviamente, não afirmamos que todas as coisas que acontecem conosco são boas. O que pontuamos é que Deus transforma até mesmo as circunstâncias adversas em coisas boas. Quando os irmãos de José tramaram contra ele, vendendo-o como escravo para o Egito, aquela foi uma ação má. Contudo, Deus a transformou em bem para José e para toda sua família (Gn 50.20). Também não afirmamos que todas as coisas cooperam para o bem de todas as pessoas. Aqueles que semeiam na carne, da carne colhem corrupção; quem semeia vento, colhe tempestade. Entretanto, aqueles que amam a Deus percebem que Deus trabalha para eles. A Seus amados, Deus lhes dá o pão enquanto dormem.

Em segundo lugar, *o bem que você faz aos outros volta para você mesmo* (2.11,12). Toda ação provoca uma reação igual e contrária. Esta é uma lei da física. Também há uma lei espiritual universal: "[...] certos de que cada um, se fizer alguma cousa boa, receberá isso outra vez do Senhor..." (Ef 6.8). O apóstolo Paulo coloca esse mesmo princípio em outras palavras: "[...] pois aquilo que o homem semear, isso também ceifará" (Gl 6.7). Nessa mesma vertente, o apóstolo Paulo prossegue: "E isto afirmo: aquele que semeia pouco, pouco também ceifará; e o que semeia com fartura, com abundância também ceifará" (2Co 9.6).

Rute investiu no marido, na sogra e agora colhe os feixes abundantes da sua venturosa semeadura. Ela abençoou os outros e agora está sendo abençoada. Jesus disse: "Mais bem-aventurado é dar que receber" (At 20.35). Rute fez da vida um canteiro de semeadura na vida dos outros; agora, ela está fazendo uma colheita abundante do seu investimento. Dale Carnegie, no seu livro *Como fazer amigos e influenciar pessoas*, diz que, se você quiser fazer amigos, precisa ser um amigo.

Em terceiro lugar, *você nunca estará desamparado se buscar abrigo sob as asas de Deus* (2.12). Rute, antes de chegar a Israel, creu no Deus de Israel; antes de entrar nos campos de Belém, a Casa do Pão, já havia saciado sua fome naquele que é o Pão da Vida. Todo aquele que busca abrigo sob as asas do Onipotente encontra refúgio seguro. Deus jamais desampara aqueles que nEle esperam.

Rute não busca abrigo no dinheiro nem no casamento, mas em Deus, e Deus lhe deu dinheiro e casamento. A Bíblia diz: "Agrada-te do Senhor, e ele satisfará os desejos do teu coração" (Sl 37.4). O evangelho está mudando de eixo na Igreja evangélica brasileira. Estamos deixando de lado o antigo evangelho, o evangelho da cruz, e abraçando outro evangelho, híbrido, sincrético, antropocêntrico. A pregação contemporânea enfatiza que Deus é quem está a serviço do homem, e não o homem a serviço de Deus. A pregação moderna não proclama mais que a vontade de Deus deve ser feita na terra, mas que a vontade do homem deve prevalecer no céu. Os templos evangélicos estão cheios de pessoas não famintas de Deus, mas de pessoas ávidas pelas bênçãos de Deus. Elas não querem Deus, mas as benesses de Deus.

Rute nos ensina que só Deus satisfaz. Apenas Ele oferece refúgio verdadeiro. Rute nos ensina que o refúgio do homem é insuficiente, é fraco e incapaz de nos dar segurança. O dinheiro não satisfaz. O casamento não satisfaz. As vitórias terrenas não são suficientes. Essas coisas, por mais excelentes, não podem ser um substituto de Deus em nossa vida. Precisamos buscar abrigo em Deus e nas coisas de Deus.

Em quarto lugar, *nunca despreze o dia dos pequenos começos* (2.15,16). A Bíblia nos ensina a não desprezar o dia dos pequenos começos. Rute se dispôs a fazer um trabalho humilde, como uma mulher pobre e totalmente necessitada. Mas aquele foi o primeiro degrau para uma gloriosa escalada. Uma noite de insônia do rei Assuero produziu uma grande revolução a favor do povo judeu (Et 6.1-14). Grandes edifícios estão construídos sobre profundos fundamentos. Sobre a fidelidade de Rute, a natureza humana do nosso Redentor encontra uma ancestral. Você nunca é tão grande como quando é humilde. Aqueles que nunca se dispõem a servir jamais poderão exercer autoridade com grandeza. O maior de todos os homens cingiu-se com uma toalha e lavou os pés dos Seus discípulos (Jo 13.13).

Antes da honra, vem a humildade. Porque Rute teve a coragem de se humilhar, Deus a exaltou. Porque ela despojou-se de toda vaidade, Deus a honrou. Porque ela se dispôs a trabalhar com honra na escassez, Deus lhe deu abundante prosperidade. Porque ela investiu com generosidade na vida dos outros, Deus semeou com fartura na sua vida.

Tenha a humildade de começar de baixo. Tenha a humildade de receber um salário mínimo. Tenha a humildade de fazer o trabalho mais simples na empresa, na sua casa e na igreja. As coisas grandes um dia foram pequenas. Uma grande árvore está potencialmente dentro de uma pequena semente.

Em quinto lugar, *deixe a amargura de lado e comece a bendizer a Deus* (2.19,20). Noemi precisou ver a mudança das circunstâncias para mudar sua atitude. Tomé precisou ver as marcas nas mãos de Jesus para poder reconhecer a realidade da Sua ressurreição. O desafio de Deus para nós, entretanto, é crermos para ver, e não vermos para crer. O desafio de Deus é cantarmos não apenas depois da chegada da aurora, mas cantar apesar da noite escura. Cremos no Deus que inspira canções de louvor nas noites escuras (Jó 35.10).

Noemi deixou a amargura de lado (1.13,20,21) e começou a bendizer (2.19,20). A amargura destrói sua alegria, rouba as suas energias e veste de luto a sua alma. A amargura impede você de viver em comunhão com Deus, com o próximo e com você mesmo. A vida se torna um fardo pesado e um montão de entulho quando você abriga no coração a amargura. De outro lado, quando seus lábios se abrem para glorificar a Deus e bendizer as pessoas, um novo horizonte se estende diante dos seus olhos.

Notas do capítulo 4

[59] ATKINSON, David. *A mensagem de Rute*, 1991: p. 59.
[60] ATKINSON, David. *A mensagem de Rute*, 1991: p. 64.
[61] MACDONALD, William. *Believer's Bible commentary.* Thomas Nelson Publishers. Nashville, Atlanta, 1995: p. 290.
[62] ATKINSON, David. *A mensagem de Rute*, 1991: p. 59.
[63] KUYPER, Abraham, citado por H. R. Van Til, em *The calvinistic concept of culture.* Presbyterian and Reformed Publishing Co., 1959: p. 117.
[64] ATKINSON, David. *A mensagem de Rute*, 1991: p. 66.
[65] WIERSBE, Warren W. *Comentário bíblico expositivo.* Vol. 2, 2006: p. 180.
[66] GONDIM, Ricardo. *Creia na possibilidade da vitória*, 1995: p. 35,36.
[67] CUNDALL, Arthur E. e MORRIS, Leon. *Juízes e Rute: Introdução e comentário*, 2006: p. 252.
[68] CHAMPLIN, Russell Norman. *O Antigo Testamento interpretado versículo por versículo.* Vol. 2, 2003: p. 1102.
[69] MACDONALD, William. *Believer's Bible commentary*, 1995: p. 290.
[70] WENHAM, G. J. et all. *New Bible commentary*, 1994: p. 292.
[71] LANGE, John Peter. *Lange's commentary on the Holy Scriptures.* Vol. 2, 1980: p. 32.
[72] CUNDALL, Arthur E. e MORRIS, Leon. *Juízes e Rute: Introdução e comentário*, 2006: p. 255.
[73] ATKINSON, David. *A mensagem de Rute*, 1991: p. 67.
[74] WIERSBE, Warren W. *Comentário bíblico expositivo.* Vol. 2, 2006: p. 181,182.
[75] WIERSBE, Warren W. *Comentário bíblico expositivo.* Vol. 2, 2006: p. 182.
[76] WIERSBE, Warren W. *Comentário bíblico expositivo.* Vol. 2, 2006: p. 183.
[77] MESQUITA, Antonio Neves de. *Estudo nos livros de Josué, Juízes e Rute*, 1973: p. 239.
[78] GONDIM, Ricardo. *Creia na possibilidade da vitória*, 1995: p. 36.
[79] GONDIM, Ricardo. *Creia na possibilidade da vitória*, 1995: p. 37,38.
[80] LANGE, John Peter. *Lange's commentary on the Holy Scriptures.* Vol. 2, 1980: p. 32.
[81] ATKINSON, David. *A mensagem de Rute*, 1991: p. 63.

[82] HENRY, Matthew. *Matthew Henry's Commentary in one volume.* Zondervan Publishing House. Grand Rapids, Michigan, 1961: p. 277.
[83] ATKINSON, David. *A mensagem de Rute*, 1991: p. 71.
[84] ATKINSON, David. *A mensagem de Rute*, 1991: p. 70,71.
[85] GONDIM, Ricardo. *Creia na possibilidade da vitória*, 1995: p. 50.
[86] WIERSBE, Warren W. *Comentário bíblico expositivo.* Vol. 2, 2006: p. 184.
[87] CHAMPLIN, Russell Norman. *O Antigo Testamento interpretado versículo por versículo.* Vol. 2, 2003: p. 1105.
[88] ATKINSON, David. *A mensagem de Rute*, 1991: p. 94.
[89] KEIL, C. F. e DELITZSCH, F. *Commentary on the Old Testament.* Vol. 2, 1980: p. 477.
[90] ATKINSON, David. *A mensagem de Rute*, 1991: p. 94-96.
[91] BAXENDALE, Walter. *The preacher's homiletic commentary.* Vol. 7, 1996: p. 96.
[92] CUNDALL, Arthur E. e MORRIS, Leon. *Juízes e Rute: Introdução e comentário*, 2006: p. 254.

Capítulo 5

O lar, uma fonte de grande felicidade
(Rt 3.1-18)

WARREN WIERSBE AFIRMA corretamente que o livro de Rute é muito mais do que o relato do casamento de uma estrangeira rejeitada com um israelita respeitado. Também é um retrato do relacionamento de Cristo com Sua Igreja.[93] O casamento é um estado honroso. Ele foi instituído por Deus para a felicidade do ser humano. Devemos orar fervorosamente, pedindo a orientação de Deus para essa decisão essencial da vida. Os pais devem aconselhar cuidadosamente seus filhos acerca desse importante assunto, para que eles sejam bem-sucedidos.[94] O casamento pode ser um canteiro engrinaldado de flores ou um deserto árido; pode ser uma fonte de alegria, um poço de amargura; pode ser um antegozo do céu ou o prenúncio do tormento do inferno.

O casamento está sendo ameaçado por muitos inimigos. O homem contemporâneo está banalizando essa sacrossanta e vetusta instituição divina. Faz-se mais apologia do divórcio do que do casamento. Os casamentos mais decantados e badalados pela imprensa estão ruindo antes mesmo de lançar suas raízes. Multiplicam-se os casos de infidelidade e o número de divórcios. Poucos casais estão dispostos a enfrentarem juntos os desafios da vida e vencerem juntos as crises próprias da vida conjugal.

Nesse contexto turbulento, a mensagem do livro de Rute é de vital importância. O casamento foi planejado por Deus para ser uma fonte de alegria, e não um flagelo para a alma. O cônjuge deve ser um aliviador de tensões, e não um verdugo emocional. A vida conjugal deve ser erigida sobre o sólido fundamento do amor puro, e não sobre os rotos fundamentos da paixão carnal.

Antes de entrarmos na exposição do capítulo três de Rute, à guisa de introdução, destacamos três pontos:

Em primeiro lugar, *as tragédias que nos atingem não têm a última palavra em nossa vida*. O livro de Rute fala da saga de uma família temente a Deus que num tempo de fome deixou a sua cidade em busca de sobrevivência e encontrou a própria morte.

Elimeleque, Noemi, Malom e Quiliom eram pessoas abastadas, que moravam em Belém, a Casa do Pão (1.1,2). Eles pertenciam à aristocracia de Belém e tinham uma vida tranqüila. Aquele era o tempo dos juízes, uma época de crises repetidas e de grande instabilidade política, econômica, moral e espiritual. Cada um seguia o seu próprio caminho. O povo andava errante e sem o norte da verdade. Nesse tempo, faltou pão na Casa do Pão. Em vez de buscar a direção de Deus, essa família foge para Moabe. Buscando segurança, eles encontraram a doença. Correndo atrás da vida, depararam com a própria morte. Em Moabe, Elimeleque, Malom e Quiliom buscaram a sobrevivência e encontraram a morte. Eles não encontraram a prosperidade, mas uma sepultura.

Agora Noemi ficou só, desamparada, com duas noras viúvas, em terra estrangeira. Houve, porém, um rumor em Moabe de que Deus visitara o Seu povo, dando-lhe pão (1.6). Para Noemi, não era apenas uma questão econômica ou um novo horizonte social que despontava, mas uma visitação de Deus. Ela olhava para a vida na perspectiva de Deus.

Nessa volta à sua terra, sua nora Rute voltou com ela e fez com ela uma aliança. Prometeu segui-la pelos caminhos da vida e da morte. Prometeu ser fiel a ela, a seu povo e a seu Deus (1.16,17). Aqui começa uma das mais belas histórias da Bíblia. A carranca da tragédia abre um largo sorriso para aquelas duas viúvas pobres. Do meio da escuridão, brota uma luz aurifulgente. A pobreza extrema vislumbra a chegada de uma grande riqueza. A solidão acachapante defronta-se com a vida mais plena de alegria. Noemi vislumbrou um novo horizonte na vida de Rute que mudaria para sempre sua vida. Essa mudança radical e bendita passaria pela experiência do casamento de Rute com Boaz. Noemi buscou um lar para a sua nora (3.1). Ela queria que sua nora se casasse, fosse feliz e tivesse um filho para perpetuar a memória de sua família.

Em segundo lugar, *o choro pode durar uma noite inteira, mas a alegria vem pela manhã.* A crise não dura para sempre. A vida não é feita só de turbulências. Depois da tempestade vem a bonança. Depois do choro, vem a alegria. Depois da dor, vem o refrigério. Depois de anos de tristeza, uma porta se abre para Rute e Noemi e um novo futuro se descortina diante dos seus olhos. Deus não apenas preparou um marido para Rute, mas um remidor para ambas. Deus não apenas deu um lar a Rute, mas um lar feliz. Deus não apenas fez dela uma mulher rica, mas a avó do grande rei Davi e a ancestral do Messias (4.17; Mt 1.5).

Em terceiro lugar, *a felicidade não é um lugar aonde se vai, mas uma maneira como se caminha*. Muitos buscam a felicidade com sofreguidão e não a encontram, porque ela não é um fim em si mesma. A felicidade não está aqui, ali, ou alhures. A felicidade tem muito mais que ver com a maneira de caminhar do que com o lugar aonde se chega. Rute buscou abrigo sob as asas de Deus, e Ele satisfez os desejos do seu coração. A Palavra de Deus diz: "Agrada-te do Senhor, e ele satisfará os desejos do teu coração" (Sl 37.4).

Não há nada de errado em desejar a felicidade. Deus nos criou para a experimentarmos em sua plenitude. O problema é nos contentarmos com uma felicidade mundana, carnal e passageira. Deus nos criou para o maior de todos os prazeres: conhecê-Lo e amá-Lo. O maior de todos os prazeres da vida é glorificar a Deus e desfrutá-Lo para sempre. Esse é o maior propósito da existência humana. Esse é o fim principal do homem. Deus é o nosso maior deleite. NEle e só nEle a felicidade pode tornar-se realidade. Rute buscou a Deus, e Ele lhe deu um lar e a fez feliz.

Neste texto, vamos examinar algumas lições sobre como ter felicidade no lar:

A nossa felicidade precisa ser construída a partir do lar (3.1-5)

Destacamos três verdades importantes:

Em primeiro lugar, *a felicidade não é um fim em si mesma* (3.1). Muitas pessoas buscam a felicidade como se ela fosse um tesouro que se descobre no fim da jornada. Mas a felicidade é conhecida em como se vive mais do que aonde se chega. Fernão Dias Paes Leme, o bandeirante das esmeraldas, embrenhou-se nas matas em busca das encantadoras pedras verdes. Fez dessa busca a maior obsessão da sua vida. No final, com um bornal cheio de pedras, mas com os dedos crispando de febre, caiu ao chão no estertor da morte, apertando a sacola de pedras contra o peito, como que desejando enterrá-las em seu coração. Pobre homem! O brilho das pedras não pôde satisfazer-lhe a alma nem bafejar seu coração da verdadeira felicidade.

Muitos buscam a felicidade no lugar errado: no dinheiro, no poder, na fama, no sucesso. Muitas pessoas chegam ao topo da pirâmide social, mas continuam infelizes. Deus colocou a eternidade no coração do homem, e objetos não podem satisfazê-lo. Há um vazio dentro do homem que nada neste mundo pode preencher.

O rei Salomão distorceu como ninguém o sentido do casamento e da família. Ele teve mil mulheres: setecentas princesas e trezentas concubinas. Contudo, longe de encontrar a felicidade nessa multiplicidade de relacionamentos, encontrou a decepção. Esse rei, que granjeou riquezas e acumulou muitos tesouros, buscou a felicidade na bebida, no dinheiro, no sexo e na fama. Contudo, tudo o que encontrou foi a vaidade (Ec 2.1-11). A palavra "vaidade" significa *bolha de sabão*. Tem colorido, mas não conteúdo; é bonita aos olhos, mas vazia de conteúdo.

Em segundo lugar, *a felicidade não pode ser construída à parte da família* (3.1). Muitas pessoas querem a felicidade a qualquer preço. Muitos buscam construir sua felicidade sobre os escombros da infelicidade alheia. Querem uma felicidade egoísta, uma felicidade no pecado, uma felicidade que custa o casamento e a vida dos filhos. Essa felicidade dura pouco e no fim tem um sabor amargo.

Quantas pessoas há que, na busca da riqueza, esquecem o cônjuge e abandonam os filhos. Quantos há que traem os votos firmados no altar, quebram as promessas feitas na presença de Deus e rompem com a aliança do matrimônio para viverem aventuras pejadas de paixão. Nessa corrida ensandecida, pisam no cônjuge, ferem a família, esmagam emocionalmente os filhos e deixam para trás um rastro inglório de grandes infortúnios. O diabo é um estelionatário, e o pecado é uma fraude. O pecado não compensa. O prazer que ele oferece tem cheiro de enxofre. A morte está presente no DNA do pecado. Assim como é impossível colher figos dos espinheiros, também é impossível experimentar a verdadeira felicidade no pecado. Nenhum sucesso compensa o fracasso da família.

Muitos se deixam seduzir pelo fascínio da riqueza e acabam levando sua família para a destruição. O filme *O Advogado do Diabo* retrata em cores vivas o perigo de inverter as prioridades da vida, sacrificar o casamento e tripudiar sobre os valores absolutos para alcançar riqueza. O fim dessa linha é a dor, a frustração e a morte.

Em terceiro lugar, *as pessoas mais felizes são aquelas que entenderam que não se constrói a felicidade com o sacrifício da família* (3.1). A Bíblia diz que Ló, na busca da riqueza, levou sua família para Sodoma e lá perdeu não só suas riquezas, mas também sua família. O rei Davi, para satisfazer um desejo sexual proibido com Bate-Seba, afundou sua família num mar de sangue, de conspirações e mortes. Salomão, na busca da felicidade em seus múltiplos casamentos, perdeu seu coração e sua fé genuína em Deus.

A verdadeira felicidade deve ser construída em torno da família. É melhor ser pobre havendo harmonia no lar do que celebrar banquetes com contenda. Melhor é o bom nome do que a riqueza. A mulher virtuosa vale mais do que finas jóias. Um casamento feliz é mais excelente do que a mais pujante fortuna. John Rockfeller disse que nunca havia conhecido tão pobre quanto aquele que só possuía dinheiro. O dinheiro em si não traz felicidade. As pessoas mais felizes não são aquelas que mais têm. As mais felizes não são aquelas que vivem empavonadas, cheias de si, mas, sim, aquelas que chegam em casa com o salário de um trabalho honesto. Nada se compara a uma família unida, onde o amor é o alicerce da comunhão.

As frustrações do passado não podem impedir a nossa felicidade hoje (3.1)

Os problemas que nos afligem podem trazer-nos grandes transtornos: O marido e os filhos de Noemi morreram prematuramente. Abraão morreu farto de dias. Jó viu os filhos dos filhos até a quarta geração. Mas Elimeleque e seus filhos morreram sem deixar sequer um descendente. A morte prematura traz grandes transtornos e profundas angústias. Um médico amigo, que perdera seu filho de 17 anos, acadêmico de medicina, vitimado por uma doença súbita, chorava desconsolado dizendo não aceitar que seu filho tenha furado a fila e passado à sua frente. Aquele homem nunca conseguiu superar a dor que assolou seu peito.

Noemi agora não tem marido, não tem filhos, nem dinheiro. Parece que tudo havia acabado. Contudo, das sombras espessas do sofrimento brota uma luz de esperança. Das cinzas da derrota, levanta-se um prenúncio de inaudita vitória. Nas miragens do deserto, ela vislumbra o oásis que lhe dessedentou a alma. Quando nossos recursos acabam, os celeiros de Deus continuam abarrotados. Quando perdemos o controle, Deus continua nos conduzindo em triunfo.

Alguns fatos nos chamam a atenção:

Em primeiro lugar, *as tragédias do passado podem produzir grande amargura em nossa alma* (1.20). Noemi partiu de Belém feliz e voltou amarga. Em dez anos, ela perdeu seus bens, seu marido, seus filhos, seus sonhos. Ela quer mudar de nome. Noemi significa feliz, alegre. Ela quer ser chamada de Mara, que significa amargura. Os problemas da vida podem azedar a nossa alma, podem roubar os nossos sonhos. Noemi perdeu a razão para sorrir. A felicidade fugiu da sua vida, e ela começou a amargar uma tristeza sem consolo e uma dor sem cura. Torrentes caudalosas de perdas desabaram sobre a sua casa. Avalanchas rolaram dos penhascos alcantilados e inundaram a sua vida, enchendo seu peito de dor e mágoa. Ela ergueu um monumento permanente para celebrar a sua dor. Ela trocou de nome. Ela reescreveu a sua história, e a nova versão era mais sombria que a primeira.

Em segundo lugar, *as tragédias do passado podem embaçar nossa percepção espiritual* (1.21). Noemi pensou que Deus estava contra ela. Ela estava olhando para a vida com lentes escuras e interpretando as providências divinas por uma perspectiva falha. Ela só conseguia ver o castigo de Deus, e não a sua providência. Noemi não só estava triste; ela estava triste com Deus. Ela responsabilizou Deus pela sua tragédia. Noemi viu Deus como seu inimigo, e não como

O lar, uma fonte de grande felicidade

Seu refúgio. Ela pensou que Deus estava trabalhando contra ela, e não por ela. Ela ergueu a sua voz para extravasar sua mágoa contra Deus, em vez de exaltar e glorificar a Deus.

Muitos, ainda hoje, olham a vida pelo avesso. Enxergam as providências de Deus como um emaranhado de grande confusão sem nenhum propósito. Assim, perdem a doçura, perdem a alegria e perdem a comunhão com Deus. Vêem-no como carrasco, e não como consolador. Encontram nEle não abrigo, mas pesado tormento.

Em terceiro lugar, *as tragédias do passado não são permanentes; a crise não dura para sempre* (3.1). Não apenas Noemi, mas Rute também tinha tudo para desesperar-se da vida. Ela era gentia. Ela havia perdido o sogro, o cunhado, o marido. Rute não teve filhos. Ela tem uma sogra viúva, pobre e desamparada. Ela está em terra estrangeira, longe da sua família. Naquela época, ser viúva pobre era estar em total desamparo.

Entretanto quando você está no fim da linha, no fundo do poço, no esgotamento dos seus recursos, sentindo-se em terra estranha, Deus pode intervir, pode mudar o cenário, pode abrir-lhe a porta da esperança. À pobre viúva, Deus deu não apenas um marido íntegro, bondoso e leal, mas um marido rico e cheio da graça de Deus. A providência divina lhe proporcionou não apenas uma casa farta de bens, mas também cheia de felicidade. Deus pode fazê-lo feliz ainda hoje.

Em quarto lugar, *a felicidade não está apenas em ter um cônjuge, mas um lar* (3.1). Noemi não buscou um marido para Rute, mas um lar. Muitos querem apenas se casar e por isso tomam decisões apressadas. É melhor ficar sozinho do que precipitar-se no casamento. A Bíblia diz que do Senhor vem a esposa prudente. A Palavra de Deus diz que quem encontra uma esposa, achou a benevolência do Senhor. Não busque apenas um cônjuge; busque um lar!

O casamento é um passo muito sério para ser dado sem reflexão. Um casamento precipitado pode ser motivo de mais dor que alegria, de mais choro que sorriso, de mais infelicidade que prazer. Ouça os conselhos dos mais experientes. Tenha cautela na busca de um cônjuge. Você precisa de um lar, e não apenas de um cônjuge.

A felicidade do lar precisa ser edificada sobre o firme fundamento que é Deus (3.10)

Destacamos dois pontos:

Em primeiro lugar, *a felicidade de Rute está no fato de que ela se converteu primeiro a Deus, antes de buscar um marido* (2.12; 2.16,17; 3.10). Rute era uma moabita. Ela era adoradora de uma divindade pagã, o deus Camos. Ela não conhecia o Deus vivo. Mas, logo que o seu marido morreu, ela deixou sua terra, sua parentela, seus deuses e abraçou o Deus da sua sogra. Ela se converteu ao Deus vivo. Ela disse: "Aonde quer que tu fores, irei também; aonde quer que pousares, ali pousarei; o teu povo é o meu povo, o teu Deus é o meu Deus. Onde quer que morreres, morrerei eu e ali eu serei sepultada; faça-me o Senhor o que bem lhe aprouver, se outra coisa que não seja a morte me separar de ti" (1.16,17).

Um dos grandes problemas do casamento misto é que primeiro a pessoa busca o cônjuge antes de buscar a Deus; busca a sua vontade mais do que a vontade de Deus.

Porque Rute buscou a Deus em primeiro lugar, Deus lhe deu um marido crente, rico, generoso, e ela se tornou avó do grande rei Davi e membro da genealogia do Messias. Deus honra aqueles que O honram!

Em segundo lugar, *a felicidade de Rute está no fato de que, ao buscar a Deus em primeiro lugar, não apenas encontrou um marido, mas também um remidor* (3.9). Boaz foi para Rute um *levir* e um *remidor*. A lei de Moisés requeria que, se um homem morresse sem deixar filhos, um parente próximo poderia casar-se com a viúva (Dt 25.5-10), perpetuando assim o nome da família. Rute era uma viúva sem filhos. Sua sogra não tinha mais filhos para ela desposar. Boaz, por sua vez, era um parente próximo de Elimeleque. Assim, ele estava qualificado para ser o remidor de Rute, casando-se com ela. O que é importante é que ele não só estava qualificado, mas também desejoso de casar-se com ela.[95] Boaz perpetuou a descendência de Elimeleque e Malom, bem como tirou Rute e Noemi da pobreza. A Palavra de Deus diz: "Agrada-te do Senhor, e ele satisfará os desejos do seu coração" (Sl 37.4).

A Bíblia diz que casualmente Rute foi rebuscar no campo de Boaz. Casualmente Boaz a viu. Casualmente ele se afeiçoou a ela. Entretanto, as nossas casualidades são expressas manifestações da providência divina (2.20). Todas as coisas cooperam para o bem daqueles que amam a Deus.

A felicidade do lar precisa passar pela integridade dos cônjuges (3.11)

Vejamos os atributos morais de Rute e Boaz:

Em primeiro lugar, *Rute era uma mulher de grandes qualidades morais* (3.11). A felicidade de Rute foi pavimentada pela sua própria vida. Vejamos alguns atributos dessa jovem viúva moabita:

Rute era uma mulher convertida ao Deus vivo (1.16,17). Rute, à semelhança de Abraão, deixou sua parentela e foi para uma terra distante por causa da sua fé no Deus vivo. Deus passou a ser o seu Senhor. Rute buscou abrigo debaixo das asas de Deus (2.12), e Boaz a chama de bendita de Deus (3.10).

Rute era uma mulher trabalhadora (2.2,15-17). Rute é uma mulher diligente, que tem coragem para trabalhar e faz tudo quanto está ao seu alcance. Ela não era uma peça de porcelana, uma taça de cristal. Rute tinha fibra, tinha punhos de aço e mãos adestradas para o trabalho.

Rute era uma mulher que tinha um lindo relacionamento com sua sogra (1.16,17; 2.11,12,18,22,23; 3.1; 4.15). Rute fez uma aliança de amor com a sua sogra. Noemi trata Rute como a uma filha. O amor e o cuidado de Rute por Noemi já eram um fato conhecido na cidade de Belém (2.11,12). A fama de Rute a precedeu em Belém. Rute é uma mulher leal. Ela não despreza a sua sogra logo que as coisas começam a melhorar para ela. As duas têm um profundo amor uma pela outra. Noemi é conselheira de Rute; Rute, discípula de Noemi. Mesmo depois que Rute se casou e teve um filho, é dito sobre ela: "[...] tua nora, que te ama [...] ela te é melhor de que sete filhos" (4.15).

Rute era uma mulher de bom testemunho em toda a cidade (3.11). Rute foi uma mulher que impactou a cidade não pela sua beleza, mas pelas suas virtudes. Sua beleza interior era mais esplêndida do que sua beleza exterior. O maior patrimônio que possuímos é o nosso nome, o nosso caráter. O bom nome vale mais do que as riquezas.

Em segundo lugar, *Boaz era um homem de grandes qualidades morais* (3.8-10). Três atributos de Boaz destacam-se neste texto:

Boaz era um homem íntegro (3.8-10). Uma mulher jovem, bonita, bem-vestida, perfumada, está aos seus pés à meia-noite. Se não fosse um homem íntegro, teria abusado de

Rute naquela circunstância. O maior desafio da integridade é quando nenhum olho está sobre você. O segredo mais secreto aqui na terra é um escândalo aberto no céu.[96]

Um pastor, que estava viajando para o exterior, acreditando que ninguém o conhecia, resolveu beber uísque. Depois da oitava dose, já com fala pastosa, pediu mais uma dose à aeromoça, mas ela lhe disse: "Pastor, eu acho que o senhor devia parar". A aeromoça era crente e conhecia o pastor.[97]

Ricardo Gondim diz que Boaz manteve-se íntegro em duas circunstâncias diferentes:[98]

Primeiro, ser íntegro é se manter fiel a seus princípios mesmo quando as pessoas não estão observando você. O maior desafio da integridade é quando nenhum olho está sobre você. Boaz permanece íntegro depois de ter bebido vinho, à noite, no recesso da sua eira, tendo uma mulher bonita deitada aos seus pés. O conceito de integridade não é agir hipocritamente na presença dos conhecidos. Você é a pessoa que se revela quando está longe dos holofotes.

Segundo, ser íntegro é saber lidar com a vulnerabilidade do próximo. Há muitos que manipulam, exploram, aproveitam a fraqueza dos outros para tirar vantagem. Ser íntegro é ser respeitador. Boaz não se aproveita de Rute. Ele a abençoa. Ele a ama, mas quer fazer as coisas direito, no seu tempo. Ele sabe esperar!

Boaz era um homem generoso (3.15-17). Boaz fez mais do que a lei exigia. Ele foi além. Ele era generoso (2.15,16). Agora, Boaz não permite que Rute volte para a sua sogra de mãos vazias. Ele é um abençoador. Ele tem seu coração cheio de generosidade e suas mãos abertas para ofertar. Você tem sido generoso na sua casa? Você é generoso com as pessoas? Tive o grande privilégio de hospedar-me certa feita na casa de um presbítero na cidade de Brasília. Ele é um homem próspero e generoso. Ao descer do quarto para tomar o café da manhã, no domingo antes do culto, ele me deu um envelope. Pensei que se tratasse de algum pedido de oração. Quando abri, era uma oferta. Ele, então, me explicou: Deus tem me dado mais do que preciso. Ele tem sido generoso comigo. Então, resolvi que toda vez que hospedar uma pessoa ou encontrar um pastor, servo de Deus, darei a ele uma oferta de amor. Meu coração ficou comovido com aquele gesto e, mais uma vez, vi cumprida a Palavra de Deus: "A alma generosa prosperará".

Boaz era um homem leal (3.12,13). Boaz afeiçoou-se a Rute desde o primeiro dia em que ele a viu. As virtudes de Rute saltaram aos seus olhos, e ele fez questão de revelar isso a ela e aos demais por meio da generosidade com que a tratou. Contudo, quando Rute lhe pediu que fosse o seu remidor, ele foi honesto com ela, dizendo que havia outro que tinha a preferência na ordem de redimi-la. Boaz não fez nenhuma manobra nem lançou mão de nenhum artifício para buscar seus próprios interesses. Boaz era um homem de caráter.

A felicidade do lar precisa passar pelo cuidado da beleza interior e da beleza exterior (3.3,4)

É notório que Rute cuidou da sua beleza interior e exterior.

Em primeiro lugar, *Rute cuida da sua beleza interior* (3.11). Rute era uma mulher conhecida na cidade de Belém por sua integridade: "[...] toda a cidade do meu povo sabe que és mulher virtuosa" (3.11). A Bíblia diz: "Enganosa é a graça, e vã, a formosura, mas a mulher que teme ao Senhor, essa será louvada" (Pv 31.30). A Palavra de Deus ainda afirma: "Não seja o adorno da esposa o que é exterior, como frisado de cabelos, adereços de ouro, aparato de vestuário; seja, porém, o homem interior do coração, unido ao incorruptível trajo de um espírito manso e tranquilo, que é de grande valor diante de Deus" (1Pe 3.3,4).

A Bíblia diz: "[...] as mulheres, em traje decente, se ataviem com modéstia e bom senso, não com cabeleira frisada, e com ouro, ou pérolas, ou vestuário dispendioso, porém com boas obras como é próprio às mulheres que professam ser piedosas" (1Tm 2.9,10).

As virtudes de Rute são mais destacadas que os seus dotes físicos. A base de um casamento feliz não é a beleza física, que acaba com o passar dos anos. As rugas chegam. Os cabelos ficam brancos. O nosso vigor murcha como uma flor à exposição do calor do sol. Mas a beleza interior resplandece ainda mais.

Em segundo lugar, *Rute cuida da sua beleza exterior* (3.3,4). Rute quer constituir um lar. Ela quer perpetuar a memória do seu sogro e do seu marido. Naquela época, um homem morrer sem deixar descendência era acabar de vez com o sonho de fazer parte da descendência do Messias.

Rute, então, prepara-se como uma noiva para o seu casamento. Ela se unge, veste seus melhores vestidos. Rute procura um marido, um lar feliz, mas se prepara para isso. Ela se cuida. Ela cuida da sua aparência. O homem é despertado pelo olhar. Os homens gostam de olhar, e as mulheres gostam de ser olhadas.

Alguns pontos merecem destaque aqui:

Rute seguiu à risca as orientações da sua sogra, uma mulher mais experiente (3.5,6). Noemi era uma mulher experiente. Ela já estava velha para se casar, mas ainda sabia as regras mais adequadas para se conquistar um homem de caráter.

Obedecer aos conselhos das pessoas mais experientes pode pavimentar o caminho da felicidade.

Rute associa a apresentação pessoal com a prudência (3.3). Rute preparou-se para encontrar-se com Boaz. Havia outros homens que não teriam hesitado em se casar com ela (3.10), mas estes não poderiam redimi-la. Somente um parente resgatador poderia fazer isso, e Boaz era esse parente. Nessa preparação, Rute fez cinco coisas: lavou-se, ungiu-se, trocou de roupas, aprendeu como apresentar-se a Boaz e prometeu obedecer. Rute está bem-vestida e perfumada, mas espera a hora certa de fazer a abordagem a Boaz. A paciência é a primeira característica do amor. A precipitação pode botar tudo a perder. Hoje temos dois extremos: desleixo ou sensualidade. A sensualidade não pode tomar o lugar da pureza interior e do recato. Rute deita-se aos pés de Boaz, e não no colo dele.

Rute é ousada na sua abordagem, mas recatada em seus gestos (3.4,8). Ela não espera o milagre de um casamento assentada em sua casa. Ela vai na direção de Boaz. Ela caminha na direção da realização do seu sonho. Ela não fica passiva, de braços cruzados, esperando algo acontecer. Ela toma a iniciativa. Entretanto, Rute não se joga sobre Boaz, deitando em seu colo. Ela se deita aos seus pés. Ela não seduz Boaz com seus dotes físicos, mas conquista seu coração pelas suas virtudes morais.

Rute é específica e elegante no seu pedido de casamento (3.9). Ela pede a Boaz que lance sobre ela a sua capa, porque ele era o candidato legítimo e legal para casar-se com ela e suscitar uma descendência legítima à família de Elimeleque. Ele era o resgatador. Leon Morris diz que "atirar o manto sobre uma mulher seria pedi-la em casamento".[99] David Atkinson, na mesma linha de pensamento, citando

Ezequiel 16.8, diz que estender a capa era um delicado pedido de casamento.[100] Rute havia se colocado sob as asas de Iavé (2.12). Agora, ela procura colocar-se sob as asas de Boaz (3.9).[101] A palavra para "manto" que aparece aqui em Rute 3.9 é a mesma palavra "asas" que aparece em Rute 2.12.[102]

Rute e Boaz são puros no seu agir (3.14). É importante observar que Boaz e Rute só se relacionaram sexualmente depois do casamento público (3.14; 4.13). Isso está de acordo com o princípio de Deus em Gênesis 2.24. Sexo antes do casamento está em total desacordo com os princípios de Deus!

A felicidade do lar passa pela obediência aos sábios conselhos (3.5)

A felicidade passa pelo mentoreamento das pessoas mais experientes. Noemi torna-se conselheira de Rute, e Rute, discípula de Noemi. Algumas coisas nos chamam a atenção:

Em primeiro lugar, *a obediência de Rute* (3.5). Noemi orienta, e sua nora obedece. Os costumes judeus do levirato eram estranhíssimos para Rute, mas ela obedece. O grande fruto da fé é a obediência.[103] A Bíblia fala do conselho de uma empregada doméstica na casa do comandante da Síria. Ele foi curado da sua lepra ao atender ao conselho do profeta Eliseu de mergulhar sete vezes no rio Jordão.

Muitas pessoas sofrem porque seguem conselhos errados, buscam fontes venenosas. Mas o bom conselho, na hora certa, com a motivação certa, pode ser uma bênção.

A Bíblia diz que as mulheres mais velhas devem ensinar as mais novas a amarem a seus maridos: "Quanto às mulheres idosas [...] sejam mestras do bem, a fim de instruírem as jovens recém-casadas a amarem ao marido e a seus filhos" (Tt 2.3,4).

Em segundo lugar, *a humildade e o recato de Rute* (3.9). Boaz já tinha se agradado de Rute no campo. E ela sabia disso. As mulheres percebem essas coisas. Mas, quando ele lhe pergunta, ela responde "tua serva". Ela não disse: "tua paixão, o novo amor da tua vida".[104] Agostinho disse: "O orgulho transformou anjos em demônios; a humildade transforma homens em santos".

Em terceiro lugar, *a confiança de Rute em Deus* (3.10). Rute não saiu correndo atrás de nenhum jovem ou outro homem. Ela se dirigiu a Boaz, e por isso foi abençoada. Ela confiou na providência divina, e Deus a honrou. Ela não manipulou nem engendrou artifícios. Ela não fez nenhuma armação, mas agiu de acordo com a orientação recebida de sua sogra.

Em quarto lugar, *o descanso de Rute na promessa de Boaz* (3.11). Boaz empenhou sua honra e sua palavra de que cumpriria os desejos do coração de Rute e trabalharia na direção de atender plenamente ao seu pedido. A razão que ele apresenta é a excelente reputação de Rute. Ela se tornara muitíssimo popular entre todos os habitantes da cidade. Todos sabiam das suas excelentes qualidades morais.

Em quinto lugar, *a paciência de Rute* (3.18). Noemi era uma profunda conhecedora da natureza masculina. Afinal de contas, ela convivera com três homens em sua casa, seu marido e seus dois filhos. Ela sabia que Boaz já estava ligado emocionalmente a Rute. Ela sabia que ele não descansaria até desembaraçar-se das questões legais e desposar Rute e tê-la para si. A paciência de Rute era um ingrediente fundamental no processo para a consumação daquele feliz casamento. Quem ama, sabe esperar.

O livro de Rute nos ensina que o caminho da felicidade é traçado pela mão soberana da providência. William Cowper disse que "por trás de toda providência carrancuda esconde-se uma face sorridente".

Deus mudou a sorte de Noemi e de Rute. Elas foram consoladas. Deus ainda continua transformando o desespero em esperança e a amargura em felicidade. Deus continua transformando a pobreza em riqueza e a solidão em cenários de abundante felicidade.

NOTAS DO CAPÍTULO 5

93 WIERSBE, Warren W. *Comentário bíblico expositivo.* Vol. 2, 2006: p. 186.
94 COLLINS, Owen. *The classic Bible commentary*, 1999: p. 224.
95 MacDONALD, William. *Believer's Bible commentary*, 1995: p. 291.
96 GONDIM, Ricardo. *Creia na possibilidade da vitória*, 1995: p. 65.
97 GONDIM, Ricardo. *Creia na possibilidade da vitória*, 1995: p. 65.
98 GONDIM, Ricardo. *Creia na possibilidade da vitória*, 1995: p. 65,66.
99 CUNDALL, Arthur E. e MORRIS, Leon. *Juízes e Rute: Introdução e comentário*, 2006: p. 271.
100 ATKINSON, David. *A mensagem de Rute*, 1991: p. 105.
101 CUNDALL, Arthur E. e MORRIS, Leon. *Juízes e Rute: Introdução e comentário*, 2006: p. 273.
102 WENHAM, G. J. et all. *New Bible commentary*, 1994: p. 292.
103 GONDIM, Ricardo. *Creia na possibilidade da vitória*, 1995: p. 75.
104 GONDIM, Ricardo. *Creia na possibilidade da vitória*, 1995: p. 78.

Capítulo 6

Quando a esperança se torna realidade
(Rt 4.1-22)

Quatro verdades sublimes podem ser destacadas no pórtico dessa mensagem:

Em primeiro lugar, *a providência carrancuda revela uma face sorridente*. John Piper, em seu livro *O sorriso escondido de Deus*, diz que por trás de toda providência carrancuda esconde-se uma face sorridente. O livro de Rute retrata essa verdade. Esse livro começa com a tristeza da morte e termina com a alegria do nascimento; começa com três enterros e termina com um casamento. Para o cristão, é Deus quem escreve o último capítulo da vida.[105] A noite escura da prova transforma-se em uma manhã iluminada de gloriosa esperança. A Bíblia diz que o choro pode durar uma noite inteira, mas a alegria vem pela manhã. Deus ainda continua transformando vales em mananciais, desertos em pomares e o cenário cinzento de tristeza em jardins engrinaldados de flores.

Houve um tempo na vida de Jacó que ele lamentou os infortúnios da vida, dizendo: "Todas essas cousas me sobrevêm" (Gn 42.36). Jacó estava olhando o lado avesso, mas, quando virou o lado direito, percebeu que o plano de Deus era perfeito e tudo estava concorrendo para o seu bem.

Em segundo lugar, *as impossibilidades humanas tornam-se realidade pela ação divina*. O livro de Rute revela as amargas impossibilidades humanas. Noemi olhou pelo túnel do tempo e não viu nenhuma saída. Na perspectiva humana, seu destino estava lavrado, e a alegria não fazia mais parte do seu futuro. Contudo, Deus reverteu a situação e mostrou-lhe o caminho da esperança. Enquanto ela pensou que Deus estava ocupado trabalhando contra ela, na verdade Deus estava agindo a seu favor.

A vida cristã não é uma estrada reta rumo à glória, mas um caminho cheio de curvas e precipícios. John Bunyan expressou isso de forma inigualável no clássico *O peregrino*. Há momentos em que olhamos para a frente e nada enxergamos, senão pontes estreitas, vales profundos e abismos imensos. Nessas horas, sentimo-nos fracos, desanimados e chegamos até mesmo a lavrar a nossa sentença de derrota. Noemi fez isso ao retornar para Belém. Entretanto, os impossíveis dos homens são possíveis para Deus. Ele continua fazendo a mulher estéril ser alegre mãe de filhos. Deus continua levantando o pobre do monturo e fazendo-o assentar-se entre príncipes.

Em terceiro lugar, *o fim da linha na perspectiva humana pode ser o começo de uma linda história traçada por Deus na própria eternidade.* Noemi estava com os olhos embaçados pela amargura. Ela pensou que o resto de seus dias seria marcado pela tristeza. Contudo, Deus tinha um plano perfeito, traçado na eternidade, que estava se desenrolando, e nesse plano Noemi se ergueria como protagonista de uma das mais lindas histórias. O filho de Rute com Boaz era o filho suscitado para a perpetuação da memória de Malom. Assim sendo, Obede seria mais do que um neto para Noemi, mas seu resgatador, seu consolador, a esperança da perpetuação da sua família sobre a terra.

Em quarto lugar, *nenhum sucesso é final e nenhuma derrota é fatal.* Ricardo Gondim diz que ninguém chega ao sucesso e descansa, e ninguém é derrotado e se acaba, porque nenhum sucesso é final e nenhuma derrota é fatal. O futuro ainda lhe reserva surpresas. Não se deixe embriagar pelo sucesso nem se deixe derrotar pelo fracasso, porque Deus é quem está dirigindo o seu viver.[106] A vida cristã não é uma estrada reta rumo à glória; antes, é uma estrada cheia de curvas e surpresas. Tanto o sucesso quanto os fracassos são passageiros. Não podemos nos envaidecer com o sucesso nem nos desesperarmos com os fracassos, pois, quando pensamos que chegamos ao fim da linha, Deus nos abre uma nova porta de esperança.

O capítulo quatro do livro de Rute trata de três assuntos importantes: um regaste (v. 1-9), um casamento (v. 10-12) e um descendente (v. 13-22). Vamos examinar esses três pontos e depois tirar algumas lições.

Um resgate (4.1-9)

Boaz afeiçoou-se a Rute desde o primeiro momento que a encontrou. Ele era um homem rico, piedoso e legalmente qualificado para ser o resgatador da família. Boaz já dera abundantes provas do seu amor por Rute, e ela sabia disso. Por sua vez, Rute já fizera o pedido formal de casamento a Boaz, e ele estava empenhado em resolver a questão, pois na lista dos parentes próximos havia um homem que tinha preferência para resgatá-la e casar-se com ela.

Boaz demonstra grande empenho no processo de ser o resgatador de Noemi, com vistas ao seu casamento com Rute. Vejamos alguns pontos:

Em primeiro lugar, *Boaz tem pressa* (4.1). Noemi, que conhecia bem a natureza masculina, pois tivera três homens em sua família, sabia que Boaz não descansaria até resolver a pendência com o outro candidato (3.18). Agora, Boaz assentou-se à porta da cidade esperando encontrar-se com ele. Boaz é um homem decidido e resolvido, e tem pressa para agir. Ele não adia aquela pivotal decisão da vida. Ele tem todo o interesse do mundo em desembaraçar-se de todas as pendências para consumar o seu projeto de casar-se com Rute.

Se a precipitação é um mal que devemos evitar, a indecisão é outro erro que não podemos cometer. A liberdade de decidir é uma faculdade fundamental na vida humana. Na verdade, somos escravos da nossa liberdade. Não podemos deixar de decidir. Somos como um homem dentro de um bote correnteza abaixo. Podemos decidir pular do bote e nadar para a margem do rio. Podemos decidir remar e alcançar um lugar seguro. Podemos fingir que não há perigo à frente e dormir passivamente dentro do bote. Podemos fazer muitas outras coisas. Só uma coisa não podemos deixar de decidir. Não podemos deixar de tomar uma decisão. A indecisão também é uma decisão. A indecisão é a decisão de não decidir. E quem não toma decisão, decide fracassar.

Em segundo lugar, *Boaz tem compromisso com a justiça* (4.1). O portão da cidade era não apenas a entrada oficial da cidade, mas um lugar público, onde as questões legais eram resolvidas. Keil e Delitzsch dizem que o portão era um espaço aberto diante da cidade, o fórum da cidade, o lugar onde os negócios públicos da cidade eram discutidos.[107] Naquele tempo, o tribunal não funcionava em um prédio, mas no portão da cidade. Leon Morris diz que o portão desempenhava papel importante nas cidades do antigo Judá. O portão era o centro da vida da cidade. Era o lugar de qualquer assembléia importante (1Rs 22.10). O portão era o lugar dos processos legais (2Sm 15.2). As pessoas eram condenadas diante dos "[...] anciãos da cidade, à porta" (Dt 22.15). O portão é mencionado em conexão com execuções (Dt 22.24). A suprema tragédia de uma cidade era quando os anciãos já não se assentavam na porta (Lm 5.14).[108] David Atkinson, nessa mesma trilha de pensamento, falando sobre a importância do "portão" da cidade, diz que junto à porta os pobres aguardavam auxílio (Pv 22.22). Ali eram feitos os negócios (Gn 23.10). Era à porta da cidade que os anciãos da sociedade se reuniam (Pv 31.23), como também os príncipes e os nobres, os jovens e os velhos (Jó 29.7-10).[109]

Boaz estava ali no portão da cidade para tratar do assunto legalmente. Ele queria casar-se com Rute, mas não queria um concubinato; queria um casamento legal.

Boaz também estava disposto a ser o remidor de Noemi, mas desejava fazer as coisas de forma legal e transparente. De acordo com a lei de Moisés, a terra não podia ser vendida em perpetuidade, por ser ela possessão do próprio Deus. Assim está escrito: "Também a terra não se venderá em perpetuidade, porque a terra é minha; pois vós sois para mim estrangeiros e peregrinos. Portanto, em toda a terra da vossa possessão dareis resgate à terra. Se teu irmão empobrecer e vender alguma parte das suas possessões, então, virá o seu resgatador, seu parente, e resgatará o que seu irmão vendeu" (Lv 25.23-25). Noemi era pobre e não podia reter suas terras. Contudo, a solene obrigação da família era cuidar que a propriedade não se perdesse.[110]

Em terceiro lugar, *Boaz tem prudência* (4.2). Boaz não vai sozinho conversar com o outro parente de Noemi, mas convida dez anciãos para serem testemunhas da conversa. David Atkinson diz que os anciãos geralmente confirmavam os contratos e acordos comerciais atendendo a esse convite formal para "testemunhar": uma função importante na vida comercial do povo, que conferia autoridade contratual às transações.[111] Os anciãos de uma cidade eram particularmente encarregados da jurisdição nas questões de direitos de família como o levirato (Dt 25.7-9).

Esses anciãos exercem uma função jurídica e legal. Eles eram uma espécie de tabeliões. Exerciam o papel de juízes. O acordo firmado tinha validade legal. Boaz toma toda a precaução para agir com pressa, mas também para agir com segurança e prudência.

Em quarto lugar, *Boaz tem integridade* (4.3,4). Boaz não sonega informação nem esconde a verdade. Ele informa ao outro parente de Noemi que este tinha preferência no resgate. Embora o próprio Boaz estivesse interessado em fazê-lo, não criou mecanismos ilícitos para ludibriar o outro nem tentou subornar os anciãos para colocar o seu nome na frente da lista. Integridade moral foi uma marca distintiva de Boaz.

Leon Morris diz que esse outro remidor não é figura importante. Ele aparece apenas para renunciar ao seu direito sobre Rute e, em seguida, desaparece. Assim, não importa seu nome. Permanece o fato instrutivo de que aquele que estava ansioso pela preservação de sua própria herança agora não é conhecido nem pelo nome.[112]

Em quinto lugar, *Boaz tem sabedoria* (4.5,6). Boaz demonstra tato na forma de apresentar a situação ao concorrente. Rowley chama essa estratégia de Boaz de "golpe de mestre".[113] Ele apresentou o assunto em duas etapas. Ele colocou primeiro o resgate das terras de Noemi e, só depois, revelou que no pacote havia também a necessidade de desposar Rute, a viúva moabita, para suscitar um descendente e herdeiro a Malom. O importante aqui era a perpetuação do nome do morto, o que se faria mediante um filho que receberia suas terras. Aqui transparece o profundo interesse pessoal de Boaz por Rute. Boaz engendrou essa trama para poder se casar com ela, mencionando primeiro a terra, e Rute, depois. E o seu "golpe de mestre" funcionou. Ele habilmente usou as possibilidades da lei, colocando o parente mais achegado numa posição impossível. O remidor anônimo percebeu que tinha duas responsabilidades, e não uma só, e que as duas estavam interligadas. Ele não poderia aceitar uma sem a outra.[114]

A estratégia de Boaz funcionou. O homem desistiu de resgatar as terras de Noemi e de casar-se com Rute, abrindo o caminho para Boaz cumprir o seu sonho. Um resgatador era alguém que tinha de estar interessado nos necessitados e ser capaz de ajudá-los. De igual forma, devia estar pronto a se sacrificar para fazer isso. Não se tratava de uma obrigação, mas, sim, de um ato de amor.[115]

O outro resgatador percebeu que, se ele redimisse o campo de Noemi, não teria aumento de sua propriedade; ao contrário, teria uma diminuição do seu patrimônio, visto que ele teria de pagar pela terra, que não passaria a pertencer à sua família, mas ao filho de Rute. Neste caso, ele tinha de comprar o campo e, além disso, sustentar Rute. As despesas poderiam ser bem elevadas. O remidor certamente estava disposto a comprar o campo, sem casar-se com Rute. Ele não estava disposto a fazer ambas as coisas.[116]

Em sexto lugar, *Boaz tem zelo com a legalidade* (4.7-9). A decisão de resgatar as terras de Noemi tem dois procedimentos legais: a desistência formal do outro concorrente com a cerimônia de tirar o calçado (4.7,8) e a confirmação da compra das terras de Noemi diante de testemunhas (4.9). A cerimônia de tirar o sapato era uma transferência de direitos, e não de propriedade. Boaz era um homem que vivia dentro da legalidade. Ele respeitava as leis vigentes. Sua riqueza não foi adquirida de forma ilegal. Ele era um homem piedoso e íntegro. Ele tinha um relacionamento certo com Deus e com os homens.

Um casamento (4.10-12)

O casamento de Boaz com Rute tem muitos aspectos cheios de encanto e beleza. Vamos destacar alguns desses aspectos:

Em primeiro lugar, *foi um casamento providenciado por Deus* (2.20). Rute, antes de buscar um marido, buscou a Deus. Antes de buscar um lar, buscou abrigo debaixo das asas de Deus. O encontro de Rute com Boaz foi casual na perspectiva humana, mas agendado pela providência divina (2.20). A esposa prudente é um presente de Deus. Quem encontra uma esposa, achou o bem e encontrou a benevolência do Senhor. Essa esposa vale mais do que riqueza. Seu valor excede o de finas jóias. A Bíblia diz: "Agrada-te do Senhor, e ele satisfará os desejos do teu coração" (Sl 37.4).

Em segundo lugar, *foi um casamento precedido por um belo relacionamento* (2.10-12; 3.9-14). Boaz tratou Rute com cavalheirismo, honra, gentileza e amor desde o primeiro encontro com ela. Embora tenha se afeiçoado a ela desde o começo, jamais se aproveitou dela. O caminho para um casamento feliz precisa ser pavimentado por atitudes nobres, pois onde se vê sinais de desrespeito, há prenúncios de relacionamentos desastrosos.

Não houve intimidade física no relacionamento de Rute com Boaz antes do casamento (3.14). Eles só tiveram relacionamento sexual depois de casados (4.13). Esse é um princípio importante que está sendo desprezado pela sociedade contemporânea. O sexo é santo, é bom e prazeroso. Ele foi criado por Deus para ser plenamente desfrutado no contexto do casamento (Hb 13.4; Pv 5.15-19). Contudo, a prática do sexo antes do casamento (1Ts 4.3-8) e fora do casamento (Pv 6.32) traz sofrimento e juízo.

Em terceiro lugar, *foi um casamento grandemente desejado por ambos* (3.9; 3.11; 4.10,11). O casamento não é um contrato temporário e experimental. É uma aliança para a vida toda. Não é sensato ir para o casamento com indecisão e insegurança. Ricardo Gondim, em seu livro *Creia na possibilidade da vitória*, fala sobre o amor de Boaz por Rute e diz que o verdadeiro amor se concretiza com gestos com a mesma profundidade que é proclamado pelos lábios. O verdadeiro amor procura legitimar-se sem relutância. Ele descarta os riscos e paga qualquer preço. O verdadeiro amor não teme assumir compromissos.[117]

Hoje temos muitas palavras bonitas e pouco compromisso. Os vestidos das noivas estão ficando cada vez mais alvos, e a pureza cada vez mais escassa. Os véus das noivas estão ficando cada vez mais longos, e os casamentos cada vez mais curtos. Hoje, vemos ardentes paixões, mas pouco amor; muitas promessas, mas poucos votos cumpridos. Vemos muitos que começam um casamento sem reflexão, mas poucos que investem nele com sincera devoção.

Em quarto lugar, *foi um casamento apoiado pela família* (3.1-5,18). Rute não se casa com Boaz contra a vontade de Noemi. Sua sogra é sua conselheira, e ela é sua discípula. O casamento de Rute com Boaz é alvo de oração e de regozijo na família. Esse é um dos principais princípios ainda hoje. O casamento não deveria ser uma decisão apenas dos dois que se casam, mas uma decisão maior em que toda a família seja envolvida. Casar-se contra a vontade dos pais é tomar uma decisão para o desastre.

Em quinto lugar, *foi um casamento público* (4.10,11). O casamento de Boaz e Rute foi um ato público e legal, feito perante os anciãos e juízes da cidade. Isso significa que eles casaram de acordo com as leis vigentes da época. Nos dias de hoje, muitos consideram o casamento apenas uma aliança particular entre duas pessoas, que pode ser feita (e até mesmo desfeita) à vontade delas, por sua escolha pessoal. O casamento, porém, deve ser uma aliança pública.[118]

Hoje, muitas pessoas estão desprezando o casamento civil, dizendo que papel não tem nenhum valor. Contudo, o casamento é um contrato legal antes de ser uma união física. O princípio bíblico é claro: "Por isso, deixa o homem seu pai e sua mãe, se une à sua mulher, tornando-se os dois uma só carne" (Gn 2.24). Antes da união, deve existir um deixar pai e mãe. Esse é o lado legal da relação. Nos dias atuais, os jovens estão se unindo sexualmente para depois deixar pai e mãe. Isso é uma inversão do princípio estabelecido por Deus. David Atkinson escreve sobre esse aspecto legal do casamento, como segue:

> O "deixar pai e mãe" é uma declaração pública de que o casamento está sendo feito. É a ocasião na qual o casal recebe junto o apoio público dos seus amigos e da sociedade na nova unidade social que estão criando. É a ocasião em que o casal também aceita sua vocação para ser uma nova unidade dentro da sociedade.[119]

O casamento coloca marido e mulher em um posto de responsabilidade para com o mundo e a humanidade. O seu amor é propriedade particular de ambos, mas o casamento é uma coisa mais do que pessoal: é um *status*, um cargo que os liga um ao outro à vista de Deus e dos homens.[120]

O testemunho público sempre fez parte da aliança. Ele serve como um contraforte no casamento contra a desintegração nos períodos quando o relacionamento está sob tensão. Os votos assumidos na cerimônia de casamento não são um mero assunto particular, mas foram assumidos e testemunhados publicamente. A importância da celebração do casamento não deve ser desprezada, pois são festivais que celebram o começo de uma nova aventura. Diz o texto que todo o povo estava presente, não apenas para testemunhar, mas para fazer orações.[121]

Em sexto lugar, *foi um casamento proposital* (4.10). A intenção principal de um casamento no regime do levirato era suscitar um descendente ao marido morto. A família de Elimeleque estava sem nenhuma semente que pudesse germinar na terra. Ele morreu, e seus dois filhos também morreram sem deixar descendentes. Agora, Boaz se casa com Rute com o propósito de suscitar o nome de Malom sobre a sua herança para que seu nome não fosse exterminado dentre seus irmãos. O casamento de Boaz é movido por amor a Rute e guiado por um profundo gesto de altruísmo à família de Elimeleque.

Em sétimo lugar, *foi um casamento abençoado pelas testemunhas* (4.11,12). Os anciãos de Belém rogaram três bênçãos especiais sobre o casamento de Boaz e Rute:

Eles pediram que Rute fosse uma mulher fértil (4.11). Os estudiosos acreditam que Rute, além de moabita, era também estéril, pois somos informados de que ela passou quase dez anos casada com Malom em Moabe sem ter filhos (1.4,5). Os anciãos pediram a Deus que ela fosse como Raquel e Lia, as únicas esposas de Jacó, as progenitoras de toda a nação. Raquel também era estéril, e Deus a curou. Quando Rute concebeu, somos informados de que foi o Senhor que lhe concedeu que concebesse (4.13). Há orações a favor de Rute para que ela se torne antecessora de uma raça famosa. Que ela tenha muitos descendentes dentro da família e dos propósitos de Deus.[122]

Eles pediram que Boaz fosse um homem próspero (4.11). Boaz já era senhor de muitos bens (2.1). No entanto, agora, os anciãos estão abençoando sua vida e rogando a Deus que ele seja afamado em sua cidade. Que ele adquira poder e fama. Que por intermédio desse casamento com Rute, a própria família de Boaz também seja estabelecida.

Eles pediram que a casa de Boaz fosse como a casa de Perez. Perez foi filho de Judá, ancestral de Boaz e principal tronco da tribo que trouxe ao mundo o grande rei Davi e o Messias, o Salvador do mundo. Leon Morris diz que Perez era, à primeira vista, o mais importante dos filhos de Judá. Aparentemente, a tribo de Judá dependia dos descendentes de Perez, mais do que dos outros. Perez foi um dos ancestrais de Boaz e, assim, alguém muito oportuno para ser mencionado. Na verdade, parece que Perez foi o ancestral dos belemitas, em geral.[123]

Um descendente (4.13-22)

O livro de Rute termina colocando os holofotes no descendente. Obede, o filho de Rute e Boaz, passa a ter um papel importante na conclusão do livro. Alguns pontos merecem destaque:

Em primeiro lugar, *o descendente é visto como dádiva de Deus* (4.13). A Bíblia diz que os filhos são herança de Deus. Eles são dádivas do Senhor. Eles não são um acidente, mas presentes do céu. Pode ser que os pais não planejem os filhos ou até não queiram ter os filhos, mas eles são concedidos por Deus. Olhar para os filhos nessa perspectiva faz toda a diferença. Leon Morris diz que por todo o livro de Rute persiste o pensamento de que Deus está acima de tudo e faz cumprir a Sua vontade. Os anciãos e as demais pessoas consideravam os filhos como dádivas de Deus (4.12).[124]

David Atkinson diz que, se há um tema que domina o livro de Rute acima dos outros, é o da providência soberana de Deus e da nossa dependência dEle como seres humanos. Deus é a fonte da vida. A vida, assim como as Suas bênçãos, é um dom da Sua mão. E, particularmente, aqui a concepção de um filho é entendida como um dom de Deus.[125] Olhando para esse aspecto da concepção como um dom de Deus, o debate sobre o aborto deveria ganhar uma dimensão mais ampla. A interrupção da vida não deveria ser apenas restrita à decisão entre o médico e a mãe. Trata-se de uma nova vida, obra-prima das mãos de Deus.

Warren Wiersbe diz que nos Estados Unidos, a cada ano, um milhão e meio de bebês são legalmente mortos ainda no ventre, e seus pedaços são removidos como se fossem tumores cancerosos. Uma enfermeira cristã comentou: "Em uma parte de nosso hospital, trabalhamos dia e noite para manter os bebezinhos vivos. Em outra parte, matamos as crianças".[126]

Em segundo lugar, *o descendente é visto como um presente para a sua família* (4.14-17). John Piper, pregando sobre este texto, diz que o foco nos versículos 14 a 17 não é sobre Rute nem sobre Boaz, mas sobre Noemi. Por quê? Porque ela voltou para Belém amargurada, e não feliz (1.20). Ela voltou para Belém pobre, e não próspera (1.21). Ela voltou para Belém olhando para Deus como inimigo, e não como ajudador (1.21b). Ela voltou para Belém vendo a Deus como flagelador, e não como consolador (1.21c). O livro de Rute mostra que a vida do justo não é uma pista reta rumo à glória, mas uma estrada cheia de curvas e surpresas. A história do livro de Rute começa com as perdas de Noemi e termina com os ganhos de Noemi. A história começa com morte e termina com nascimento.

Um filho para quem? O versículo 17 diz: "As vizinhas lhe deram nome, dizendo: A Noemi nasceu um filho. E lhe chamaram Obede. Este é o pai de Jessé, pai de Davi". As mulheres disseram que um filho nasceu a Noemi, e não a Rute. Por quê? Para mostrar que o que Noemi dissera acerca de Deus não era verdade (1.21). Se tivermos mais paciência para esperar o tempo oportuno de Deus, veremos que Ele trabalha para nós, e não contra nós.

Não, Noemi não voltou pobre e vazia para Moabe (1.21). Foi Deus quem deu Rute a Noemi. Essa jovem viúva moabita disse à sua sogra: "[...] o teu Deus é o meu Deus" (1.16). Rute veio a Belém com Noemi para buscar abrigo sob as asas de Deus (2.12). Foi o próprio Deus quem trouxe Rute a Belém para abençoar a vida de Noemi. Noemi não está percebendo, mas é Deus quem a está conduzindo a esse destino feliz.

Noemi deu a impressão de que não havia nenhuma esperança de Rute casar-se em Belém para suscitar um descendente à linhagem da sua família (1.12). Contudo, foi Deus quem preservou Boaz, um homem rico, piedoso e parente da família, para casar-se com Rute. A própria Noemi precisa render-se a essa evidência (2.20). Noemi reconheceu que por trás daquele encontro casual de Rute com Boaz estava a bendita providência divina que não esquece de Sua benevolência com os vivos nem com os mortos. Toda perda que o povo de Deus suporta na vida, Deus a transforma em ganho.

Foi Deus quem abriu o ventre de Rute para conceber. Foi Deus quem concedeu a Rute conceber e ter um filho (4.13). Rute foi alvo das orações dos anciãos da cidade nesse sentido (4.11). Continuamente Deus está trabalhando a favor de Noemi para provar-lhe Seu favor. Quando ela perdeu seu marido e filhos, Deus deu a ela Rute. Quando ela pensou num resgatador, Deus deu a ela Boaz. Quando Rute casou-se com Boaz, Deus deu a ela um filho.

Em terceiro lugar, *o descendente é visto como uma fonte de alegria para o seu lar* (4.14-17). O neto de Noemi é alvo das orações das mulheres de Belém. Ele seria o resgatador de Noemi (4.14). A sua família se perpetuaria na terra por intermédio dele. Nesse sentido, não foi Boaz o *goel* de Noemi, mas seu neto. Foi ele quem fez perpetuar o nome da família de Noemi sobre a terra e foi seu arrimo na velhice.[127] Ele, também, teria um nome afamado em Israel, para além das fronteiras da sua cidade (4.14b). Obede, ainda, seria o restaurador da vida de Noemi (4.15). Seria seu arrimo, seu provedor, seu sustentador. Finalmente, Obede seria o consolador da velhice de Noemi (4.15b). Noemi não teria uma velhice amargurada. Seus melhores dias não estavam enterrados no passado, mas estavam por vir.

Em quarto lugar, *o descendente cresce em uma família onde reinam o amor e a harmonia* (4.15,16). Há duas coisas importantes aqui dignas de observação:

Rute ama sua sogra e lhe é melhor do que sete filhos (4.15). Transborda em todo o livro o belíssimo relacionamento entre Rute e Noemi. Agora, as mulheres da cidade dão um testemunho público acerca do amor de Rute pela sogra. E acrescentam: "[...] pois tua nora, que te ama [...] te é melhor do que sete filhos" (4.15). Leon Morris diz que o tributo *ela te é melhor do que sete filhos* é extraordinariamente relevante em face do valor comumente atribuído aos homens, em comparação com as mulheres. A ambição de todos os casados era uma prole masculina numerosa; assim, falar de Rute como sendo mais valiosa para Noemi do que *sete filhos* (a expressão proverbial para a família perfeita) é o supremo tributo.[128]

Noemi cuida do neto sem qualquer atitude de ciúmes de Rute (4.16). Noemi não apenas tem a alegria de receber um neto, mas o privilégio de cuidar dele. Rute não tentou afastar o filho da avó; ao contrário, deu-lhe liberdade para instruí-lo. Noemi esperava amargar uma velhice solitária, quando perdeu o marido e os filhos. Com a chegada do neto, ela voltou a ter uma família. Era amada, e tinha um lugar de honra. O bebê, em certo sentido, simbolizava tudo isso; e Noemi dedicou-se a ele.[129]

Em quinto lugar, *o descendente trará ao mundo uma semente abençoada* (4.17-22). Todo bebê nascido neste mundo é um voto a favor do futuro. Ao segurar um bebê, segura-se o futuro nos braços.[130] O livro de Rute conclui com uma curta genealogia, ligando Perez (filho de Judá) com Davi. Obede, filho de Rute e Boaz, torna-se o pai de Jessé, e Jessé, o pai de Davi, o maior rei de Israel. O próprio

Messias viria ao mundo mil anos depois do grande monarca, sendo chamado de Filho de Davi. O autor do livro de Rute não olha apenas para Obede. Ele levanta seus olhos e vê mais além. Ele olha para a história da redenção. Deus não estava trabalhando apenas para prover bênçãos materiais a Noemi, Rute e ao povo de Belém. Ele estava preparando o cenário para a chegada de Davi, o maior rei de Israel. O nome de Davi trazia consigo a esperança do Messias em um novo tempo de paz, justiça e liberdade, em que o pecado e a morte seriam vencidos. A história do livro de Rute abre as cortinas da esperança e nos aponta para Jesus!

Leon Morris, nessa mesma linha de pensamento, escreve:

> O propósito do casamento de Boaz com Rute era conduzir, no devido tempo, ao grande rei Davi, o homem segundo o coração de Deus, o homem em quem os propósitos de Deus foram executados de modo extraordinário. Esses acontecimentos em Moabe e Belém desempenharam seu papel em conduzir àqueles que redundariam no nascimento de Davi. Os crentes considerarão, também, cuidadosamente, a genealogia que aparece no começo do evangelho de Mateus, e refletirão que a mão de Deus cobre a história toda. Ele executa o Seu propósito, geração após geração. Visto que somos limitados a uma única vida, cada um de nós vê apenas um pouquinho daquilo que acontece. Uma genealogia é uma maneira extraordinária de trazer diante de nossos olhos a continuidade dos propósitos de Deus, através dos tempos. O processo histórico não é casual. Há um propósito em tudo. Esse propósito é o propósito de Deus.[131]

As dez pessoas cuja genealogia é registrada nos últimos cinco versículos do livro de Rute podem ser encontradas na passagem de Mateus 1.3-6 como formadores de elos importantes na linhagem do Messias.[132] Assim, os nomes que aparecem na genealogia desde Perez até Davi (4.18-22) são os mesmos que aparecem na genealogia de Jesus, conforme o relato de Mateus. Deste modo, o livro de Rute deseja nos ensinar que o propósito de Deus para a vida do Seu povo é conectado com alguma coisa maior do que nós mesmos. Deus deseja que saibamos que, quando andamos com Ele, nossa vida sempre significa mais do que pensamos que ela significa. Para o cristão, sempre haverá uma conexão entre os acontecimentos ordinários da vida e a estupenda obra de Deus na História. O livro de Rute aponta para Davi. Davi aponta para Jesus, e Jesus aponta para a glória final, quando reinaremos com Ele na glória eterna, onde Deus enxugará dos nossos olhos toda lágrima (Ap 21.4).

O melhor ainda está por vir. Esta é uma gloriosa verdade que você vai sentir, se anda com Deus.

Aplicações práticas do texto

Destacamos algumas lições deste texto:

Em primeiro lugar, *você tem um grande valor para Deus*. Não importa sua nacionalidade, sua família, sua cultura, seus bens, você tem um grande valor para Deus. Sua vida pode não ter sido planejada pelos seus pais, mas foi planejada por Deus. Você não veio ao mundo por mera casualidade. Há um plano perfeito e um propósito eterno que rege a sua vida. Rute era uma viúva moabita. Além de estrangeira, era pobre e desamparada. Deus, contudo, providenciou para ela não apenas uma família e riquezas, mas perpetuou seu nome, fazendo dela a genitora de uma abençoada descendência. Aquela viúva que viveu em tempos tão remotos tem seu nome relembrado com honra por gerações sem fim.

Em segundo lugar, *o casamento é uma grande fonte de bênção quando feito dentro da vontade de Deus.* Boaz era um homem rico, mas sua vida carecia de um propósito maior. Antes de conhecer Rute, Boaz trabalhava, ganhava dinheiro, vivia bem, mas não tinha um propósito.[133] O casamento nos dá um elevado propósito para viver. Boaz, tão logo conheceu Rute, buscou esse propósito com todas as forças da sua alma. Seu casamento abriu novos horizontes para intervenções gloriosas de Deus na sua vida.

De outro lado, nada é mais frustrante do que um casamento feito às pressas, sem reflexão, sem apoio da família, sem alegria das testemunhas, sem convicção do amor. O casamento pode ser um jardim marchetado de flores ou um deserto árido. O casamento pode ser como um vôo de liberdade ou uma prisão torturante.

Em terceiro lugar, *os filhos são presentes de Deus.* Os filhos são herança de Deus. Eles valem mais do que as riquezas. Logo que Obede nasceu, o texto silencia a respeito dos bens de Boaz. Nada se compara à riqueza que os filhos representam. A chegada de Obede foi celebrada com mais alegria do que as abundantes colheitas de trigo. Pessoas valem mais do que coisas. Os filhos valem mais do que o dinheiro. O nosso maior investimento deveria ser nos relacionamentos. Nenhum sucesso compensa o fracasso no relacionamento com os filhos.

Em quarto lugar, *a vida deve ser vivida com a eternidade em perspectiva.* A última palavra do livro de Rute é DAVI. Noemi, Rute e Boaz não viveram em vão porque eles fizeram parte de um propósito divino. O destino deles estava sendo conduzido pelo céu, e não pela terra. Tinha sido desenhado na eternidade, e não no tempo. O casamento de Rute com Boaz, que trouxe ao mundo Davi, o grande rei, culminou com a chegada do próprio Messias, o Rei dos reis. O casamento de Rute aconteceu em Belém. Davi nasceu em Belém. Jesus nasceu em Belém, e de Belém esparramou-se a salvação de Deus para todos os povos.

Hoje, você pode não entender os planos de Deus na sua vida. Hoje, as providências de Deus podem parecer carrancudas e assustadoras para você. Contudo, no andar de cima, na sala de controle do Universo, as coisas estão meticulosamente planejadas e determinadas. E Deus as levará a cabo para o seu bem, para a glória do Seu próprio nome. Hoje, seus problemas podem parecer intrincados, difíceis e você pode pensar: *Não tem jeito!* Contudo, olhe na perspectiva da eternidade e entenda que Deus quer transformar a sua vida em algo extraordinário.[134]

Em quinto lugar, *o melhor de Deus ainda está por vir.* Nós não caminhamos como os discípulos de Emaús para o entardecer da História. Não estamos fazendo uma viagem rumo ao ocaso. Nossa jornada é para o romper da alva. O fim da nossa jornada não será um túmulo frio coberto de pó, mas uma eternidade cheia de glória, onde reinaremos para sempre com Cristo. Aqui, como Rute, cruzamos vales e montes, atravessamos pontes estreitas e pântanos lodacentos. Aqui, nosso corpo é surrado pela doença e até tomba pela fúria implacável da morte. No entanto, a morte não tem mais a última palavra em nossa vida. Seguimos as pegadas dAquele que arrancou o aguilhão da morte. O nosso Redentor é a Ressurreição e a Vida.

Não estamos viajando em um barco que afundará nas águas encapeladas do mar da vida. Em breve, a trombeta de Deus soará. Em breve, a voz do arcanjo será ouvida. Em breve, todos os inimigos serão colocados debaixo dos pés do nosso Senhor. Em breve, todo joelho se dobrará e toda língua confessará que Ele é Senhor no céu, na terra e debaixo da terra. Em breve, deixaremos este corpo de humilhação, e seremos revestidos com um corpo de glória. Em breve, estaremos para sempre com o Senhor. Não importa se agora o caminho é estreito. Não importa se os inimigos são muitos e estão furiosos contra nós. Nosso destino é a glória, e é o nosso próprio Senhor vitorioso que nos conduzirá ao lar!

Notas do capítulo 6

[105] WIERSBE, Warren W. *Comentário bíblico expositivo*, Vol. 2. 2006: p. 192.
[106] GONDIM, Ricardo. *Creia na possibilidade da vitória*, 1995: p. 101,102.
[107] KEIL, C. F. e DELITZSCH, F. *Commentary on the Old Testament*. Vol. II, 1980: p. 487.
[108] CUNDALL, Arthur E. e MORRIS, Leon. *Juízes e Rute: Introdução e comentário*, 2006: p. 280,281.
[109] ATKINSON, David. *A mensagem de Rute*, 1991: p. 114.
[110] CUNDALL, Arthur E. e MORRIS, Leon. *Juízes e Rute: Introdução e comentário*, 2006: p. 286.
[111] ATKINSON, David. *A mensagem de Rute*, 1991: p. 116.
[112] CUNDALL, Arthur E. e MORRIS, Leon. *Juízes e Rute: Introdução e comentário*, 2006: p. 282.
[113] ROWLEY, H. H. The marriage of Ruth, in: The servant of the Lord and other essay. Blackwell, 1965: p. 190.
[114] ATKINSON, David. *A mensagem de Rute*, 1991: p. 188.
[115] ATKINSON, David. *A mensagem de Rute*, 1991: p. 120.
[116] CUNDALL, Arthur E. e MORRIS, Leon. *Juízes e Rute: Introdução e comentário*, 2006: p. 288.
[117] GONDIM, Ricardo. *Creia na possibilidade da vitória*, 1995: p. 89-94.
[118] ATKINSON, David. *A mensagem de Rute*, 1991: p. 121.
[119] ATKINSON, David. *A mensagem de Rute*, 1991: p. 121.
[120] ATKINSON, David. *A mensagem de Rute*, 1991: p. 122.
[121] ATKINSON, David. *A mensagem de Rute*, 1991: p. 122,123.
[122] ATKINSON, David. *A mensagem de Rute*, 1991: p. 125.
[123] CUNDALL, Arthur E. e MORRIS, Leon. *Juízes e Rute: Introdução e comentário*, 2006: p. 295.
[124] CUNDALL, Arthur E. e MORRIS, Leon. *Juízes e Rute: Introdução e comentário*, 2006: p. 296.
[125] ATKINSON, David. *A mensagem de Rute*, 1991: p. 128.
[126] WIERSBE, Warren W. *Comentário bíblico expositivo*. Vol. 2, 2006: p. 194.
[127] KEIL, C. F. e DELITZSCH, F. *Commentary on the Old Testament*. Vol. II, 1980: p. 492.

[128] CUNDALL, Arthur E. e MORRIS, Leon. *Juízes e Rute: Introdução e comentário*, 2006: p. 297.
[129] CUNDALL, Arthur E. e MORRIS, Leon. *Juízes e Rute: Introdução e comentário*, 2006: p. 297.
[130] WIERSBE, Warren W. *Comentário bíblico expositivo.* Vol. 2, 2006: p. 195.
[131] CUNDALL, Arthur E. e MORRIS, Leon. *Juízes e Rute: Introdução e comentário*, 2006: p. 300,301.
[132] CHAMPLIN, Russell Norman. *O Antigo Testamento interpretado versículo por versículo.* Vol. 2, 2003: p. 1112.
[133] GONDIM, Ricardo. *Creia na possibilidade da vitória,* 1995: p. 97.
[134] GONDIM, Ricardo. *Creia na possibilidade da vitória,* 1995: p. 105.

Dedicatória

"Dedico este livro a Loyde Emerich Boechat, mulher piedosa, bondosa, amiga e conselheira. Sua vida tem sido uma inspiração para minha vida. Seu amor um bálsamo para o meu coração. Suas orações instrumentos de bênção em meu ministério".